FINN Y HENGEST

FINN Y HENGEST

EL FRAGMENTO
Y EL EPISODIO

J.R.R. TOLKIEN

Editado por Alan Bliss

minotauro

Finn y Hengest

Publicado en lengua inglesa por HarperCollins Publishers Ltd.
con el título *Finn and Hengest*

Traducción: © Víctor Ruiz Aldana, 2023

Imagen de cubierta: John Howe
Diseño de cubierta: HarperCollins Publishers
Adaptación de cubierta: Cover Kitchen

Publicación de Editorial Planeta, SA. Diagonal, 662-664, 08034 Barcelona.
Copyright © 2023 Editorial Planeta, SA, sobre la presente edición.

ISBN: 978-84-450-1501-8
Depósito legal: B. 10.637-2023
Printed in EU / Impreso en UE.

Inscríbete en nuestra newsletter en: www.edicionesminotauro.com
Facebook/Instagram: @EdicionesMinotauro
Twitter: @minotaurolibros

Índice

Prefacio

Hace casi veinte años, leí en la Sociedad Medieval de Dublín un artículo titulado «Hengest and the Jutes». Más tarde, mientras charlaba con unos colegas, descubrí que prácticamente todas mis conclusiones las había anticipado ya muchos años antes el difunto profesor J. R. R. Tolkien en unas conferencias que desconocía; me resultó por tanto imposible publicar mi artículo. En mi siguiente visita a Tolkien, en el año 1966, le expliqué la situación; unos días más tarde, me escribió para ofrecerme, con la generosidad que lo caracterizaba, todos sus materiales sobre la historia de Finn y Hengest, a fin de que los utilizara como me placiera. Los materiales estaban desordenados, y cuando Tolkien falleció en 1973, todavía no los había clasificado; con el tiempo, y gracias a la amabilidad de Christopher Tolkien, llegaron a mis manos en 1979.

Cuando leí las conferencias de Tolkien, comprendí que no podría utilizar jamás su obra en ninguno de mis trabajos: no solo había anticipado casi todas mis ideas, sino que también las había desarrollado en direcciones que a mí ni se me habían pasado por la cabeza. Por otro lado, me pareció igual de obvio que aquellas conferencias debían publicarse, puesto que mostraban un nivel altísimo de esa mezcla única de erudición filológica e imaginación poética que distinguía a Tolkien del resto de los académicos. Me sugirieron entonces que fuera yo quien me encargara de editar las conferencias de Tolkien antes de publicarlas. No me resultó nada fácil decidir si aceptar o rechazar la invitación: por un lado, preveía grandes dificultades en aquella empresa; por el otro, recordaba que había sido deseo expreso de Tolkien que yo me encargara de su trabajo. Finalmente, accedí a llevar a cabo esa tarea, y este libro es el resultado de mis esfuerzos.

En Oxford, es costumbre que el profesor de la Cátedra Rawlinson y Bosworth de Anglosajón diserte con regularidad sobre el *Beowulf*, y durante las dos décadas (1925-1945) en las que Tolkien ocupó dicha cátedra, hubo muy pocos años en que no presentara las conferencias esperadas. Entre 1928 y 1937 también disertó seis veces sobre la historia concreta de Finn y Hengest. El título de aquel curso-conferencia variaba («The "Fight at Finnesburg" and the "Finn Episode"» [1928], «Finn and Hengest: the problem of the Episode in "Beowulf" and the Fragment» [1930], «Finn and Hengest: the Fragment and the Episode [textual study, and reconstruction]» [1931], «The Fight at Finnesburg» [1934], «Finn and Hengest» [1935, 1937]), pero, sin duda, el material seguía siendo en esencia el mismo, por mucho que se revisara al detalle de cuando en cuando. Se anunció un séptimo curso de conferencias, bajo el título de «The *Freswæl* (Episode and Fragment», durante el semestre de Michaelmas de 1939, pero tras el estallido de la guerra se canceló la lista de conferencias publicada y nunca llegaron a impartirse. Durante el período bélico, Tolkien disertó con frecuencia sobre *Beowulf*, y parece ser que dedicó más atención que antes al «Episodio de Finn» para compensar la falta de un curso de conferencias sobre Finn y Hengest. En 1962, Tolkien reapareció tras su jubilación durante la ausencia en Estados Unidos del profesor C. L. Wrenn, quien lo había sucedido en la Cátedra Rawlinson y Bosworth, y en el semestre de Hilary de 1963 impartió un curso de conferencias bajo el mismo título que las fatídicas lecciones de 1939.

Veremos, pues, que hay tres períodos durante los cuales es probable que Tolkien trabajara con más intensidad en la historia de Finn y Hengest: sobre 1930, sobre 1940 y sobre 1960, tres períodos que se reflejan en el material que nos ha sobrevivido. El bloque de materiales más sustancial formó sin duda la base de las conferencias sobre Finn y Hengest a partir de 1928. Podemos dividirlo en cuatro partes principales: un estudio sobre los nombres propios del Fragmento y el Episodio, ordenados por orden de aparición; notas sobre el texto del Fragmento; notas sobre el texto del Episodio, y una reconstrucción de la historia que subyace a los restos que conservamos. La primera de esas cuatro partes también existe en una versión mucho más larga y completa; es posible que se hubiera preparado para su posterior publicación, dado que está cuidadosamente redactada en un estilo más formal y contiene numerosas notas al pie. Otra serie de notas sobre el Episodio (hasta el verso 1143) parece haberse extraído de las conferencias sobre el *Beowulf* ofrecidas durante los años de guerra; encontramos algunas páginas escritas en la parte trasera de comunicaciones duplicadas fechadas a finales de 1939 o principios de 1940. La primera parte de estas notas, que llegan hasta el verso 1087, se revisó y expandió, de modo que hay números de página que se solapan; dado que las notas revisadas se refieren a «la última vez (1941)» que se impartieron aquellas lecciones, probablemente la revisión se remonte al año 1942. Por último, existe un conjunto de «materiales tardíos» en el que, de hecho, no hay ninguno que sea demasiado tardío: incluye dos versiones de una traducción del Episodio y una reconstrucción adicional. Una sección importante de esos materiales tardíos puede fecharse sin duda en el año 1962.

La tarea a la que se enfrenta el editor de estos materiales no dista de lo que tuvo que hacer el mismo Tolkien cuando en sus últimos años contempló la revisión de *El Silmarillion* para su publicación: «Los manuscritos estaban en desorden, de modo que ya no estaba seguro acerca de los que representaban sus últimos pensamientos sobre un pasaje determinado. [...] Pero al no saber cuál era la copia y cuál el original, había enmendado ambas por separado y de modo contradictorio. Para producir un texto coherente debía hacer un *collage* detallado de cada pasaje».[1] La tarea del editor intimida aún más que la del autor, dado que este tiene al menos la oportunidad de recordar cuál fue su juicio final, y siempre es libre de reescribirlo, pero el editor no cuenta con ninguna de esas ventajas. En muchos sentidos, lo más fácil habría sido escribir una nueva obra basada en las ideas de Tolkien, pero he asumido la tarea más ardua de producir un «texto coherente y satisfactorio» a partir de las propias palabras de Tolkien. Las únicas partes del libro que me pertenecen son la Introducción del editor (p. 19), la traducción del Fragmento (p. 43) y el Apéndice C (p. 259).[2]

El plan general de este libro sigue la estructura de las conferencias tempranas de Tolkien. En la primera sección, cuya

---

1. Carpenter, Humphrey, *J. R. R. Tolkien. Una biografía* (Minotauro, 2021; traducción de Carlos Peralta), p. 308.

2. Este apéndice es una ampliación de la única parte de mi artículo de Dublín que Tolkien no había anticipado.

parte principal corresponde al estudio de los nombres propios, he sustituido la versión revisada y ampliada que parece haberse preparado para su publicación. Solo disponemos de una versión de las notas sobre el Fragmento, y, por tanto, la he seguido a la fuerza. En cuanto a las notas del Episodio, contamos con dos o, en algunos casos, tres versiones disponibles: la versión temprana y muy completa que utilizó en las conferencias sobre Finn y Hengest, la versión posterior, mucho más breve, a la que recurrió en las conferencias del *Beowulf* durante el período bélico y, en algunos casos, una versión final que compiló en 1962 o más tarde. La dificultad aquí radica en el hecho de que los últimos pensamientos de Tolkien aparecen expresados habitualmente con mucha más brevedad que sus ideas tempranas, de modo que he tenido que elegir entre las más tardías o las más completas. Para esta parte del libro, he compilado retazos de los materiales; allí donde las ideas de Tolkien apenas parecen haber cambiado con el paso de los años, por lo general he preferido la versión más temprana y completa; sin embargo, allí donde rechazaba sus conclusiones iniciales, he elegido las expresiones más lúcidas de sus ideas más tardías.[3] Hay uno o dos lugares en que un punto clave del argumento no aparece explicado con demasiada claridad en

---

3.   Cuando Tolkien escribió por primera vez sus conferencias, la obra *The Finn Episode in Beowulf*, de R. A. Williams (Cambridge, 1924), era todavía bastante reciente, y es natural que se hubiera referido a ella con gran frecuencia. Hoy día no es una obra influyente, y la mayoría de las referencias son inapropiadas, sobre todo si tenemos en cuenta que algunas aparecen expresadas con excesiva dureza. En esos casos, a veces he sustituido una versión tardía por una más temprana; con todo, he conservado muchas de las referencias, puesto que considero que el libro de Williams ha

ninguno de los materiales que nos han sobrevivido, y en esos casos he añadido mis propias palabras entre paréntesis.

Las numerosas anotaciones de los manuscritos presentan un problema especial. Las hay de varios tipos, y las he tratado de forma distinta en función de su naturaleza. Cuando corrigen o modifican el original, he incorporado la corrección o modificación al texto; cuando añaden algo nuevo, o bien las he incorporado al texto o las he relegado a las notas al pie, según lo que considerara más adecuado en cada caso; cuando representan recordatorios en los que se proponen otras líneas de investigación que aparentemente nunca llegaron a buen puerto, no he tenido otra opción que omitirlas.

Las notas de las conferencias se tomaron apresuradamente y están muy abreviadas, ya sea mediante el uso de símbolos como ∴ para «por tanto» o // para «paralelismo», o por la omisión de palabras prescindibles; la puntuación y la división en párrafos también son a menudo descuidadas. En varios casos, Tolkien corrigió usos precipitados y errores accidentales; apenas he tenido escrúpulos para corregir disimuladamente el resto. Sin embargo, mi intención no ha sido en ningún caso alterar el estilo coloquial propio de las conferencias, aunque en ocasiones resulte extraño sobre el papel. Si el mismo Tolkien había revisado esta obra para su publicación, no cabe duda de que habría introducido cambios estilísticos; de haberlo intentado yo, habría conseguido, en el mejor de los casos, un pastiche, y, en el peor, tergiversar los textos. El lector percibirá por tanto una marcada diferencia de estilo entre el cuidadoso

---

sufrido un desprecio injusto, y muchos de sus argumentos bien merecen consideración.

«Glosario de nombres» y las conferencias coloquiales; en vista de la naturaleza de los materiales que nos han sobrevivido, esto es algo inevitable y, tal vez, deseable.

La mayor parte de este libro se escribió hace más de cincuenta años, y las partes más recientes, hace casi veinte. Es inevitable, por tanto, que no se haya tenido en cuenta mucho de lo que se ha escrito sobre Finn y Hengest. Con todo, no he considerado recomendable intentar llevar a cabo un análisis sistemático de esos estudios más recientes.[4] Si la obra de Tolkien se hubiera publicado antes, una gran parte de lo que otros han escrito no habría llegado a producirse, o se habría producido de una forma distinta; no parece tener demasiado sentido documentar interpretaciones que difieren por completo de la de Tolkien. A pesar de todo, he referenciado obras recientes en dos circunstancias: cuando refuerzan o amplían argumentos ya presentados por Tolkien, o cuando demuestran que la visión de Tolkien sobre determinados detalles no puede sostenerse con seriedad. En circunstancias similares, he añadido en ocasiones comentarios propios. Más allá de dichos comentarios, mis notas al pie están pensadas para proporcionar referencias completas a las citas en las que Tolkien no aporta referencias, o si las que hay son insuficientes. Cuando la referencia que se nos proporciona es inequívoca pero incompleta, la he ampliado con disimulo; cuando no hay referencia alguna, he intentado rastrear la cita hasta su origen. Todas mis notas al pie están incluidas entre corchetes para que no se confundan con las notas al pie de Tolkien.

---

4.   Puede encontrarse una bibliografía completa en Fry, *Finnsburh*, 47-57.

Quisiera darle las gracias a Christopher Tolkien, por animarme a aceptar la edición de este libro y ofrecerme una información indispensable sobre los métodos de trabajo de su padre; a David Evans, quien me asesoró sobre las cuestiones escandinavas y me ofreció muchas otras ayudas, y al ya difunto profesor J. A. W. Bennett, quien me proporcionó generosamente las notas que tomó en las conferencias de Tolkien de 1934 y 1935, lo cual me proporcionó un punto de referencia fiable para la ardua tarea de fechar distintas versiones de las conferencias.

ALAN BLISS

Títulos abreviados

ASPR: G. P. Krapp y E. van K. Dobbie, *The Anglo-Saxon Poetic Records* (Nueva York, 1931-53)

Campbell, *Æthelweard*: Alistair Campbell, *The Chronicle of Æthelweard* (1962)

Chadwick, *Origin*: H. M. Chadwick, *The Origin of the English Nation* (Cambridge, 1907).

Chambers, *Introduction*: R. W. Chambers, *Beowulf: an Introduction to the Study of the Poem* (Cambridge, 1921).

Chambers, *Widsith*: R. W. Chambers, *Widsith: a Study in Old English Heroic Legend* (Cambridge, 1912).

Elton, *Saxo*: Oliver Elton, *The First Nine Books of Saxo Grammaticus* (1894).

Förstemann, *Namenbuch*: E. W. Förstemann, *Altdeutsches Namenbuch*, Segunda edición (Bonn, 1900), Vol. I «Personennamen».

Fry, *Finnsburh*: D. K. Fry, *Finnsburh: Fragment and Episode* (1974).

Heimskringla: Bjarni Aðalbjarnarson, *Heimskringla* (Íslenzk Fornrit xxvi-xxviii: Reikiavik, 1941-51).

Holder, *Saxo*: Alfred Holder, *Saxonis Grammatici Gesta Danorum* (Estrasburgo, 1886).

Jónsson, *Eddukvæði*: Guðni Jónsson, *Eddukvæði* (Akureyri, 1954).

Jónsson, *Skjaldedigtning*: Finnur Jónsson, *Den Norsk-islandske Skjaldedigtning* (Copenhague, 1912-15).

Klaeber, *Beowulf*: Fr. Klaeber, *Beowulf and the Fight at Finnsburg*, Tercera edición (Lexington, 1936).

Malone, *Literary History*: Kemp Malone, *The Literary History of Hamlet: I. The Early Tradition* (*Anglistische Forschungen* 59: Heidelberg, 1923).

Mommsen, *Chronica Minora*: Theodor Mommsen, *Chronica Minora Saec. IV. V. VI. VII.*, Vol. III (Berlín, 1898).

Müller, *Saxo*: P. E. Müller, *Saxonis Grammatici Historia Danica* (Copenhague, 1839-58).

Myres, *Settlements*: R. G. Collingwood y J. N. L. Myres, *Roman Britain and the English Settlements* (Oxford, 1936).

Plummer, *Bede*: Charles Plummer, *Baedae Opera Historica* (Oxford, 1896).

Searle, *Onomasticon*: W. G. Searle, *Onomasticon Anglo-Saxonicum* (Cambridge, 1897).

Sweet, *OET*: Henry Sweet, *The Oldest English Texts* (Oxford, 1885).

Sweet, *Orosius*: Henry Sweet, *King Alfred's Orosius* (1883).

Williams, *Finn Episode*: R. A. Williams, *The Finn Episode in Beowulf* (Cambridge, 1924).

Wyatt y Chambers, *Beowulf*: A. J. Wyatt, *Beowulf with the Finnsburg Fragment*, revisado por R. W. Chambers (Cambridge, 1914).

LISTA DE ABREVIATURAS

B.	*Beowulf*
A.	Alemán
IE	Indoeuropeo
IM	Inglés medio
AAM	Alto alemán medio
IA	Inglés antiguo
AAA	Alto alemán antiguo
NA	Nórdico antiguo
SA	Sajón antiguo
SO	Sajón occidental

Introducción del editor

George Hickes fue uno de los numerosos clérigos que en 1688 rechazaron la usurpación del trono de Inglaterra por parte de Guillermo de Orange y permanecieron fieles a Jacobo II. Su rechazo a prestar lealtad a Guillermo tuvo como consecuencia que se les despojara de todos sus beneficios, se los persiguiera y se los amenazara con encarcelarlos; Hickes, como el resto, se vio obligado a pasar una parte de su vida oculto. A pesar de esas inmensas dificultades, durante los quince años siguientes Hickes consiguió compilar la monumental colección de materiales gramáticos y literarios relacionados con los idiomas del norte de Europa que se publicaron en Oxford, en 1705, bajo el nombre de *Linguarum Vett. Septentrionalium Thesaurus*. En las páginas 192 y 193 del primer volumen, imprimió un poema en IA, de menos de cincuenta versos, que afirmaba haber encontrado en una única hoja de un volumen de homilías «semisajonas» en la biblioteca del palacio de Lambeth, la residencia londinense de los arzobispos de Canterbury.[1] Esa hoja no ha vuelto a encontrarse. Por lo visto, ya había desaparecido

---

1. Hickes se refiere con «semisajón» a lo que hoy llamaríamos «inglés medio temprano». Existe consenso en que el manuscrito debe de ser el MS 487, pues es el único de la biblioteca de Lambeth que coincide con la descripción de Hickes.

cuando el gran paleógrafo Humphrey Wanley compiló el catálogo de manuscritos anglosajones que conforman el segundo volumen del *Thesaurus* de Hickes: desviándose de sus prácticas habituales, Wanley no ofrece descripción ni fecha del fragmento, y se limita a remitir al lector al texto impreso.[2] Los estándares de integridad académica eran más laxos en 1700 que ahora, y Hickes trabajaba bajo unas circunstancias complicadas; es posible que se llevara la hoja crucial de la biblioteca y, para ahorrarse el esfuerzo de transcribirla, puede que incluso se la entregara a su impresor para que lo pasara a máquina. En cualquier caso, la versión impresa es ahora la única autoridad para el texto del Fragmento, pero no debemos tomarnos con seriedad la insinuación (cuya intención también pudo ser poco seria) de que «tal y como está, ni siquiera podemos estar seguros de que sea un original que nos ha sobrevivido y no un pastiche brillante».[3] Si analizamos las versiones que presenta Hickes sobre los poemas en IA de los manuscritos existentes, veremos que sus estándares de precisión y los de su impresor no eran demasiado altos; de ahí que los editores hayan estado habitualmente más que preparados para corregir el texto del Fragmento.

El Fragmento de Hickes nos ofrece una narración incompleta de una batalla que se llevó a cabo en un lugar conocido como Finnesburg, la «ciudadela de Finn». Un «joven rey» y sus seguidores se ven asediados en un salón, que defienden con uñas y dientes; un miembro destacado de la fuerza defensora se nos presenta como Hengest. No disponemos de suficiente información en el texto para dilucidar las circunstancias de la

---

2.   *Thesaurus*, Volumen II, p. 269.
3.   Derek Pearsall, *Old English and Middle English Poetry* (1977) 6.

batalla, y en general conocemos el Fragmento con el impreciso nombre de *La batalla de Finnesburg*.[4] Por breve que sea, el Fragmento es de una importancia capital para los estudios anglosajones por al menos tres razones.

(1) *La batalla de Finnesburg* parece ser un fragmento de un tipo de poema heroico breve conocido como *lay*. Este término se utiliza como equivalente de la palabra *leoð*, habitual en la poesía en IA para referirse a la canción o recitado que lleva a cabo un trovador en un banquete, aunque no hay ninguna relación etimológica entre ambas palabras. Se cree que las referencias literarias reflejan los hechos históricos, y que los pueblos germánicos disponían sin duda de una vasta colección de poemas transmitidos de forma oral en que cada uno contaba un único episodio histórico o legendario; es posible que se correspondieran con las *carmina antiqua*, 'canciones antiguas', que describe Tácito en sus descripciones de las tribus germánicas del siglo I d. D.[5] Hay pruebas lingüísticas y métricas de que ese tipo de lais se utilizaron en la compilación de poemas posteriores y más largos,[6] pero por desgracia las

---

4.   [*N. del T.*] Sobre la ortografía del nombre Finnesburg, consulta más adelante la nota al pie 1 de la página 29. En español, *Vida de Julio Agrícola: del origen y situación de los germanos: diálogo sobre los oradores*, con traducción de José Luis Marlejo Álvarez y publicada por el Consejo Superior de Investigaciones Científicas.

5.   *Germania, c.*, iii: J. G. C. Anderson, *Corneli Taciti de Origine et Situ Germanorum* (Oxford, 1938) 5.

6.   Véase Alistair Campbell, «The Old English Epic Style», en *English and Medieval Studies presented to J. R. R. Tolkien*, editado por Norman Davis y C. L. Wrenn (1962), 13-26.

pruebas directas de su existencia son extremadamente escasas; en el mejor de los casos, no nos han sobrevivido más de dos, el *Cantar de Hildebrando* en alto alemán antiguo y *La batalla de Finnesburg* en IA. Dado que en ambos casos solo conservamos fragmentos, es imposible saber a ciencia cierta si los poemas completos eran mucho más extensos que un lay. Sin embargo, el veloz movimiento de la narración en ambos fragmentos y el ágil intercambio de los diálogos difieren tanto del carácter pausado de la época posterior que su clasificación como lais parece justificada.

(2) *Finnesburg* parece ser un poema puramente pagano, en el sentido de que no contiene referencias a Dios y la historia no se cuenta en términos de valores cristianos. El fragmento es tan breve que podría pensarse que esas pruebas negativas carecen de importancia, pero los dos fragmentos del poema épico *Waldere* en IA, que juntos apenas superan el de *La batalla de Finnesburg*, contiene dos referencias a Dios formuladas de tal manera que es probable que el autor no solo fuera cristiano, sino un monje.[7] Si tenemos en cuenta que la transcripción y preservación de manuscritos poéticos en IA era obra de los monasterios, no debería sorprendernos lo más mínimo que la mayoría de lo que nos ha sobrevivido sea explícita o implícitamente cristiano; incluso el *Beowulf*, el mayor monumento del pasado heroico pagano de los anglosajones, es un poema cristiano en cuanto que no solo resulta evidente que fue escrito por un poeta cristiano para una audiencia cristiana, sino porque también (según la mayoría de estudios críticos recientes) reinterpreta el pasado pagano en términos de la teología

---

7.   *Waldere* I 23, II 28: *ASPR* VI, 5, 6.

cristiana. *La batalla de Finnesburg* es, de hecho, el único poema narrativo pagano que nos ha sobrevivido en IA.

(3) La historia que se nos cuenta en el Fragmento de *Finnesburg* está estrechamente relacionada con una historia que se nos relata muy de pasada en el *Beowulf*. Beowulf, el héroe del poema, ha derrotado en combate singular al monstruo cuasihumano Grendel, que llevaba doce años asolando el salón de Hrothgar, rey de los daneses. Se organiza un banquete para celebrar la victoria, y como parte de las festividades, el trovador de Hrothgar recita una historia para entretener a los asistentes allí reunidos. Suponemos que en la vida real habría recitado un lay, pero lo que se nos ofrece en el *Beowulf* no es ni siquiera el resumen de un lay; en menos de noventa versos, se cuenta una historia completa en unos términos tan alusivos que bien podría haber tenido sentido solo para aquellos ya familiarizados con la secuencia de los acontecimientos. Los personajes principales de la historia son Hengest y Finn, en teoría el mismo Finn que le da nombre a Finnesburg; un tal Hnæf, asesinado antes del comienzo de la historia, es por lo visto el «joven rey» del Fragmento. *La batalla de Finnesburg* parece tratar los antecedentes del Episodio en el *Beowulf*, y dilucida mucho de lo que, de lo contrario, resultaría oscuro. Incluso en conjunción con el Fragmento, el Episodio no es ni mucho menos fácil de interpretar al detalle, algo de lo que este libro es testigo; sin el Fragmento, el Episodio supondría un problema irresoluble.

Independientemente de las dificultades de la historia que se nos cuenta en el Fragmento y el Episodio, es bastante evidente que nos encontramos ante un tipo bastante común en las sagas en nórdico antiguo, pero prácticamente desconocido en la poesía en IA: es una historia sobre el conflicto de lealtades en el mundo heroico. Aquí no hay monstruos ni dragones como en el *Beowulf*: los personajes del drama son seres humanos comunes y falibles que se ven inmersos de improviso en unas circunstancias en las que resulta imposible conservar tanto la vida como el honor. En su clásica conferencia Los monstruos y los críticos,[8] Tolkien nos mostró que para el propósito del poeta del *Beowulf* los monstruos eran esenciales: su plan era presentar un comentario general sobre el sino del hombre; mientras que los adversarios humanos limitarían el comentario a un tiempo y un espacio concretos, los seres sobrenaturales simbolizarían los adversarios eternos a los que se enfrenta la raza humana. Con todo, no podemos ignorar que a las audiencias modernas les sigue resultando difícil aceptar lo sobrenatural en la ficción, y una historia de lealtades en conflicto es obviamente mucho más atractiva. Sin duda, se han dedicado grandes esfuerzos a desentrañar la historia de Finn y Hengest. Dorothy Whitelock se quejaba una vez con exasperación de que «las reflexiones excesivas sobre los restos insuficientes del relato de Finn han sido una de las ocupaciones más fútiles y laboriosas de las personas que se han dedicado a estudiar el *Beowulf*»;[9] este libro es una prueba de que esa ocupación laboriosa no tiene por qué ser fútil.

---

8.   [*N. del T.*] *Proceedings of the British Academy* xxii (1936) 245-295. En español, esta conferencia está incluida en la obra *Los monstruos y los críticos y otros ensayos*, editada por Minotauro con traducción de Eduardo Segura Fernández.

9.   Dorothy Whitelock, *The Audience of Beowulf* (Oxford, 1951) 19.

Es posible presentar en pocas líneas un resumen de la historia de Finn y Hengest que no sea controvertido porque se han omitido todos los detalles que podrían serlo. Un invierno, Hnæf, un cabecilla danés, visitó a su hermana Hildeburh, esposa de Finn, rey de los frisones. Durante la visita, atacaron a Hnæf y a sus hombres en el salón donde se hospedaban, y durante el combate, tanto Hnæf como un hijo de Finn acabaron muertos. Los defensores resistían con firmeza, y se llegó a un acuerdo según el cual los supervivientes quedarían bajo la protección de Finn hasta que la primavera les permitiera regresar a casa. Este acuerdo, sin embargo, se contradecía con el deber de venganza por la muerte del señor, y con la primera llegó también dicha venganza: Finn fue asesinado y Hildeburh volvió a casa con su pueblo.

Los participantes principales de la disputa fueron los daneses y los frisones, pero existe un tercer grupo, los «eotenos», a los que se hace referencia en los versos 1072, 1088, 1141 y 1145 del *Beowulf*, y su papel en la historia ha dado pie a muchos debates. Las formas utilizadas en el *Beowulf* tienen un significado incierto, pero, a pesar de las dificultades fonológicas, la mayoría de los estudiosos aceptan que «eotenos» es un nombre propio para los 'jutos'; con todo, hay quien cree que la palabra significa 'gigantes', bien sea de forma literal o metafórica, en el sentido de 'enemigos'.[10] Dado que el texto no ofrece nada que refuerce la idea de una disputa tripartita, a los eotenos, ya sean jutos o gigantes, se los suele identificar con una de las partes en disputa:

10. Recientemente, R. E. Kaske, «The *Eotenas* in *Beowulf*», en *Old English Poetry: Fifteen Essays*, editado por R. P. Creed (Providence, 1967) 285-310, y Fry, *Finnsburh*, Glossary.

si eran meramente enemigos, los eotenos también podría ser un nombre alternativo para los daneses o los frisones; si eran jutos, debían de estar bajo control de una de las partes, o bien eran aliados. La perspectiva actual es que los «eotenos» estaban en el mismo bando que los frisones,[11] pero sigue habiendo quien los sitúa con los daneses.[12]

La contribución más importante de Tolkien a la interpretación de la historia fue a lo que él se refiere varias veces como la teoría de los «jutos en ambos bandos». En las notas de la conferencia que revisó a principios de los años cuarenta, manifestaba así su posición:

> Mi solución personal y patente, derivada del texto y que no solo he concebido para superar las dificultades de otras opiniones, es que los jutos se encontraban en ambos bandos de conflicto; es decir, en el bando de Finn y en el de Hengest: era una disputa juta.

Más tarde, añadió una nota al pie a lápiz en este pasaje:

> Cuando propuse esta idea, era indiscutible que no había aparecido escrita en ningún sitio, ni pronunciada en público o en privado estando yo presente.

11. La opinión predominante aparece resumida en Dobbie, *ASPR* iv, p. xlix.

12. Esta opinión la discute de forma minuciosa Ritchie Girvan en «Finnsburuh», *Proceedings of the British Academy* xxvi (1940) 327-360.

Dado que Tolkien nunca publicó sus materiales, la teoría de los «jutos en ambos bandos» jamás se ha discutido en soporte impreso; sin embargo, sí se refirió a ella al menos cuatro veces el difunto profesor C. L. Wrenn, aunque no en términos coherentes con los detalles de la teoría de Tolkien.[13] No he sido capaz de confirmar si Tolkien autorizó estas referencias: no incluyen ningún reconocimiento hacia él, pero, por otro lado, él tampoco parece haber protestado por ellas, a menos que, en efecto, la nota al pie mencionada más arriba sea una reacción a las más tempranas.

Ni siquiera Tolkien debatió la teoría de los «jutos en ambos bandos» de manera sistemática: emerge de una forma casi imperceptible a partir de su estudio del texto, y precisamente por eso es más convincente. Los argumentos más importantes pueden encontrarse en el Comentario textual sobre el análisis de los versos 8 y 9 del Fragmento y los versos 1071 y ss., 1084, 1087, 1095 y ss., 1102, 1124 y 1140 y ss. del Episodio en el *Beowulf*. Las implicaciones de todos estos pasajes se reúnen en la Reconstrucción de las páginas 243 a 249.

13. J. R. Clark Hall, *Beowulf and the Finnesburg Fragment*, revisado por C. L. Wrenn (1940) 184; C. L. Wrenn, *Beowulf with the Finnesburg Fragment* (1953) 52; R. W. Chambers, *Beowulf: An Introduction to the Study of the Poem*, Tercera edición, con un suplemento de C. L. Wrenn (Cambridge, 1959) 544; C. L. Wrenn, *A Study of Old English Literature* (1967) 88-89.

Introducción

EL *FRESWÆL*: FINN Y HENGEST

Este es el nombre con el que he bautizado al problema de la relación entre el episodio de Finn en el *Beowulf* y el fragmentado *La batalla de Finnesburg*,[1] así como de la historia que hay detrás de ambos. De hecho, es el nombre que se le da a la historia en el *Beowulf*, verso 1070: «Hnæf [...] in Freswæle feallan sceolde»; Klaeber lo glosa como 'campo de batalla frisón',[2] pero es más bien 'desastre o masacre frisona'.

Las pruebas y alusiones que deben compararse y que pretendo explicar son las siguientes:

(1) *Widsith*, verso 27: «Fin Folcwalding Fresna cynne».
(2) El Episodio en el *Beowulf*, aproximadamente desde el verso 1066 al 1159.

---

1.   Por lo general, *Finnsburh, Finnsburg*. La palabra *Finnsburuh* aparece en el Fragmento, pero el respeto servil en un título a una autoridad manuscrita (que ni siquiera es tal) es absurdo. *Finns-* es, en cualquier caso, incluso en un texto, un descuido que tal vez podamos achacar al transcriptor, y que requiere corrección. Usemos *Finnesburg* o la modernización completa *Finsbury* (como en *Finsbury Park*). [C. L. Wrenn utiliza sistemáticamente la forma *Finnesburg*; véase la página 27, nota al pie 13.]

2.   [Klaeber, *Beowulf*, 435.]

(3) El fragmento de un poema (probablemente un «lay» en lugar de un «poema épico» de estilo y proporciones beowulfianas) que George Hickes descubrió en la biblioteca del palacio de Lambert e imprimió en su *Thesaurus*.[3] Desde entonces, o se ha perdido, o lo han robado o se ha traspapelado, conque dependemos únicamente de la copia que se hizo a partir del manuscrito (aparentemente) inexacto de principios del siglo XVIII. Se trata de *La batalla de Finnesburg*.

(4) Otras alusiones a los nombres, sobre todo a Finn o a Hengest, como por ejemplo en las genealogías en IA, a las que volveremos en el Glosario de nombres que hay más adelante, en las páginas 49 a 130.

Lo único que sabemos con casi absoluta certeza es que estas referencias —o, al menos, las (1), (2) y (3)— se refieren a las mismas personas, es decir, Finn (rey de los frisones) y Hengest. No es seguro y no está probado que se refieran a los mismos acontecimientos o a la misma historia en lo que concierne a estos nombres, y ni mucho menos a la misma versión de la historia. Sin duda, se apoya en el último recurso del más que definido y sensato principio de que cuando no hay nada claro, las hipótesis deben simplificarse lo máximo posible.

En el caso de (4), la identidad de la referencia no es segura (por ejemplo, «Finn Godulfing» de las genealogías, o «Hengest» el invasor de Kent). Véase el Glosario de nombres.

(2) y (3) serán más adelante el centro de nuestra investigación detallada. (4) aparecerá solo de manera tangencial. De (1)

---

3. *Linguarum Vett. Septentrionalium Thesaurus Grammatico-criticus et Archæologicus* (Oxford, 1705) i 192-193.

no es necesario añadir nada más, salvo dirigir la atención hacia su contexto. Con el verso 20 del *Widsith* («Casere weold Creacum 7 Cælic Finnum»), pasamos del mundo godo y borgoñés y el imperio de Oriente hasta el Báltico, y luego nos sumergimos en las vidas de los reducidos pueblos marineros de ese mundo septentrional a ambos lados de la península Címbrica, con cuyas tradiciones los primeros ingleses debían de estar especialmente familiarizados. Es por esa pérdida de riqueza por lo que la batalla en la fortaleza de Finn se ha conservado (tan maltratada y desgraciadamente oscura), salvo por las escasas alusiones en el *Widsith*. Y lo mismo ocurre en el verso 21: «Hagena Holmrygum (en el manuscrito, *rycum*) // Heoden Glommum». En el mismo contexto, aparecen *Swæfe* 22, *Hælsingas* 22, *Myrgingas* 23, francos 24, *Wenas* (varnos o varinos) 25, *Eowe* (¿aviones?) 26, *Yte* (jutos, bajo el reinado de Gegwulf: «Oswine weold Eowum // Ytum Gefwulf») 26. Luego llega el verso «Fin Folcwalding Fresna cynne», 27. Después de eso pasamos a Escandinavia, con *Sædene* 28, que interviene antes del importante «Hnæf Hocingum» 29 (una referencia indudable al personaje del Episodio, al que allí se refieren con los genitivos plurales *Scyldinga* o *Healfdena*).[4] Este contexto del *Widsith*, de los versos 20 a 35 (o 49) debe tomarse en consideración.

Pasemos ahora a comentar algunas cosas sobre los frisones, que sin ninguna duda son el pueblo que nos ocupa. En esta cuestión especialmente compleja, es frecuente que uno deba empezar con una teoría temporal, en la que luego se detendrá para reevaluarla y recapitular sobre las pruebas, y es

---

4.   [Tolkien llegó más tarde a la conclusión de que *Healfdena* debía corregirse a *Healfdene*; véase el apartado correspondiente en la página 148].

imprescindible por tanto mucha repetición, y lo que se afirma aquí podría requerirse más adelante, o tal vez modificarse.

El nombre «frisón» —inetimologizable como la mayor parte de los viejos nombres regionales o tribales no compuestos germánicos (*Dene, Sweon, Eote*)— es antiguo, indudablemente mucho más que la fecha de su primera aparición. Una inscripción (hallada cerca de Leeuwarden) muestra que los romanos conocían las pesquerías de los frisones.[5] Había frisones en el ejército romano (y en los puestos de Britania). En Tácito, resulta claro que los frisones ya se encontraban al oeste del Zuiderzee, y en aquel tiempo eran las tribus germánicas más occidentales del norte, y ocupaban zonas que desde luego no hablaban en origen lenguas germánicas.[6] Tácito indica una división entre ellos (probablemente no solo establecida por forasteros, sino también por los nativos, como producto de la expansión) en «frisones menores», al oeste de los lagos navegables, y «frisones mayores», libres del control romano en las marismas y ciénagas al norte y al este que aún resultaban poco conocidas y poco exploradas (para los romanos).

Es posible que en los tiempos heroicos (del *Beowulf* y el *Widsith*) aún perviviera parte de la misma distinción. Los frisones mayores, o grupos de descendientes, son probablemente el pueblo de Finn en sí, mencionado junto con las gentes del mar del Norte. De los frisones menores se menciona un vínculo estrecho con los francos (ahora meridionales): p. ej.,

---

5.   Chambers, *Widsith*, 66 nota al pie 1.

6.   [*Ibidem* 67, pero las conclusiones no parecen desprenderse de forma natural de las palabras de Tácito en *Germania*, c. xxxiv: J. G. C. Anderson, *Corneli Taciti de Origine et Situ Germanorum* (Oxford, 1938) 22-23.]

Widsith 68, «Mid Froncum ic wæs // mid Frysum»; también en *Beowulf* 2912, 1207, 1210 (junto con *Hetware* y francos).

El uso en IA de la distinción entre las formas en *-y* y *-e* no concuerda con esas distinciones políticas o geográficas. Y, en cualquier caso, tampoco puede sacarse demasiado en claro de la distinción en el *Beowulf* y el *Widsith*. El nombre *Froncum* aparece también en el verso 24 del *Widsith*, poco antes que *Finn*, mientras que *Hætwere* aparece en el mismo pasaje (33) en que se habla sobre todo de pueblos del norte, aunque se los asocie claramente con los francos. Tampoco puede extraerse demasiado, por sugerente que sea, del orden de menciones en el catálogo del *Widsith*, sobre todo tal y como lo conservamos, puesto que tanto la geografía como la aliteración y la conexión en la historia (¡que podría incluso relacionar a los gautas con los francos!) ejercen su función, sin duda, a la hora de determinar la disposición, antes de tomar en consideración la corrupción, la interpolación y la dislocación.

En cualquier caso, los ingleses estaban bien familiarizados con los frisones de todo tipo antes, durante y después de los asentamientos en Britania. Antes, como deducción natural a partir de su situación y por la cercana similitud de sus dialectos. Durante, no solo por lo inevitable de la cuestión, podría decirse, de que los frisones participaran en aventuras compartidas por tribus tan estrechamente conectadas, sino también por la famosa alusión en Procopio.[7] Después, por la importancia

---

7.   [*N. del T.*] «La isla de Brittia está habitada por tres naciones muy numerosas, cada una con un rey propio. Y los nombres de esas naciones son anglos, frisones y britanos, estos últimos nombrados a partir de la isla en sí misma». (Procopio, *De Bello Gothico* iv 20). Aún no se ha confirmado,

marítima de los frisones, que ilustraré a continuación. De hecho, el debate sobre si la historia de Finn es una tradición nativa (incluida en el bagaje anglosajón) o si pertenece en realidad a un elemento frisón o a un préstamo tomado de los frisones se basa en hacer una distinción sin valor práctico alguno.

Tras el asentamiento en Britania y el declive de la piratería y el poder marítimo «sajones», los frisones entraron en un período de prosperidad marítima y fama en el noroeste; en efecto, si mi lectura final sobre esta cuestión es correcta, ya eran (en el siglo v) muy poderosos, si no los líderes de esas tribus «anglofrisonas» ligeramente vinculadas del noroeste, amenazadas ya por la agitación del norte escandinavo. En efecto, la popularidad y la importancia de la historia de Finn (más información en las páginas 76-84) son indiscutibles, si lo supiéramos todo, teniendo en cuenta la posición que ocupa y lo integrada que está en los acontecimientos complejos y convulsos de las aguas septentrionales que conducirían a la colonización germánica de Britania. Las relaciones del Finn

---

y se ha atribuido a la confusión entre los frisones y los sajones. De todos modos, existen evidencias del estrecho vínculo entre los tres, si no de los intermediarios frisones, al menos sí, y en épocas muy tempranas, entre Britania y la Galia; en fuentes de información frisonas, eso sí. [Para el texto y la traducción, véase H. B. Dewing, *Procopius with an English Translation* (1914-1941) v 252-255. Las implicaciones del pasaje no son tan claras como Tolkien sugiere. Según Procopio, la «isla de Brittia» es un lugar totalmente distinto a Britania, y es posible que su intención fuera referirse a algún distrito del continente; en cualquier caso, el pasaje sigue siendo de gran interés, aunque de un modo distinto.] En español, puede encontrarse el texto en Procopio de Cesarea, *Historia de las guerras* (2007), publicado por la editorial Gredos con traducción de José Antonio Flores Rubio.

histórico (o al menos del poder frisón que representa) con los otros pueblos de aquellas regiones (incluidos los daneses, que ya se estaban expandiendo) eran sin duda de una importancia capital en la historia, y las tradiciones poéticas descienden de esos tiempos.

Todavía en época de Alfredo, unos cuatro siglos más tarde, podemos encontrar atisbos de esta superioridad naval. «On fresisc» y «on denisc» eran claramente las dos formas que a Alfredo le resultaban evidentes para construir navíos de guerra, o estilos con los que experimentar. (*Crónica anglosajona*, año 897). Es probable que los ingleses y sajones de Inglaterra apenas practicaran por aquel entonces el arte de la construcción naval, a una escala adecuada para operaciones comerciales grandes o guerras organizadas. El comercio existente, sobre todo en el sureste, probablemente dependiera de embarcaciones extranjeras (frisonas), y a los reyes apenas les preocupaba el mantenimiento de los navíos de guerra, habida cuenta de que sus batallas se producían en las llanuras y cerca de los vados y desfiladeros de Inglaterra, antes de la llegada de los nórdicos. Alfredo dependía sin duda en gran parte de los frisones para que capitanearan, y posiblemente para que tripularan, sus barcos de guerra.[8] Desconozco si ese fue el caso

---

8. En los *Gnomic Verses* del Libro de Exeter (94-99), se presenta a una «esposa frisona» como la típica mujer del marinero:

leof wilcuma

«Mujer frisona»,   þonne flota stondeð;
biþ his ceol cumen   ond hyre ceorl to ham,
agen ætgeofa,   ond heo hine in laðaþ,
wæsceð his warif hrægl   ond him syleþ wæde niwe,
lidþ him on londe   þæs his lufu bædeð.

en el año 875 d. C., cuando (algo fácil de ignorar) Alfredo
navegó con una *sciphere* y se enfrentó al enemigo no sin éxito.[9]
Sin embargo, si tenemos en cuenta que eso se produjo veinte
años antes de que comenzara a pensar en mejorar su ejército
naval y desarrollar una flota inglesa, es probable que su *sciphere* fuera mercenaria y frisona (¿de Londres?). Sin duda en 897,
después de su conocido experimento de construcción naval,
entre las bajas de su malograda escaramuza en la que entraron
en batalla de nuevo los flamantes navíos reales había tres frisones («Wulfheard Friesa», «Aebbe Friesa», // «Æðelhere Friesa»)
entre los cinco oficiales lo bastante eminentes como para que
se los nombrara. También se nos dice explícitamente que fueron 62 las bajas totales, entre frisones e ingleses (en ese orden).

Æðelhere es también un nombre en IA, y *Wulfheard* es extremadamente común; *Æbba* (no, sin embargo, *Æbbe*, que suele
ser femenino; pero cf. *Æbbi*) es también inglés antiguo. Esto
nos hace pensar que ya en tiempos de Alfredo los dialectos
frisones pudieron no parecer más extraños que un inglés antiguo dialectal marcado, y que no había ninguna barrera lingüística efectiva para comunicarse. Lingüísticamente hablando, los
frisones eran casi una rama del mismo pueblo, pero fuera de
los dominios de cualquier rey «inglés»; una situación similar a

---

[*ASPR* iii 160. «Frysan wif» puede entenderse más bien como «la mujer
del frisón»: véase E. G. Stanley, «Two Old English Poetic Phrases Insufficient-
ly Understood for Literary Criticism», en *Old English Poetry: Essays on Style*,
editado por D. G. Calder (Berkeley, 1979) 67-90, p. 89, nota al pie 45.]

9.   *Crónica anglosajona*, año 875: «Þy sumera for Ælfred, cyning ut
on sæ mid sciphere, // gefeaht mid .vii. sciphlæstas, // hiera an (es decir,
scip) gefeng, // þa oþru gefliemde».

la de la Pequeña Britania (Bretaña) en relación con Cornualles, cuyos habitantes hacía tiempo que se consideraban, al menos hasta la entrada de la época moderna, «britanos bajo el gobierno del rey francés» o «del rey inglés», pero a efectos prácticos como un solo pueblo, cuyos miembros se visitaban y desposaban con libertad hasta como mínimo la época de la Reforma.

Conservamos un recuerdo de esa situación entre los ingleses y los frisones en el refrán siguiente:

> Good butter and good cheese
> Is good English and good Friese.[10]

> Buena mantequilla y buen queso,
> buen inglés y buen frisón.

Si echamos la vista atrás hacia un período temprano, trescientos años más cerca de la época de Finn, podemos mencionar la alusión sugestivamente indiferente en la *Historia eclesiástica del pueblo de los anglos*, de Beda el Venerable. En el capítulo xx

10. [Se dice que este pareado era popular a principios del siglo xx; véase C. L. Wrenn, *The English Language* (1949) 69. Por lo visto, es una versión libre de un refrán original frisón citado por Johannes Hilarides, *Naamspooringen van het Platte Friesk*, editado por A. Feitsma (Gronningen, 1965) 10:

> Buuter, breea, in griene tjiiz
> is foe Ingels in goe Fris.

Según Hilarides, se usaban a principios del siglo xvi; véase S. Klazinga, «Bread butter and green cheese», *It Beaken* (*Tydskrift fan the Fryske Akademy*) xxx (1968) 199-200.]

(XXII) del libro IV,[11] se nos habla de que han herido al thane Imma y lo han dado por muerto en la batalla del Trent entre su señor Ecgfrith, rey de Northumbria, y Æthelred, rey de Mercia. Al cabo cae en manos de uno de los *gesixx* del rey Æthelred, y después de sanarlo lo venden a un «cierto frisón de Londres».[12] La batalla se produjo en el año 679. Resulta interesante la presencia de un frisón pudiente en Londres, mencionado tan de pasada, que fuera capaz de comprar esclavos generados por las guerras internas de los ingleses, sobre todo si tenemos en cuenta que ese año 679 se corresponde con el comienzo de las misiones en Frisia. Es significativo que las misiones continentales (una de las glorias principales de la Inglaterra antigua, y uno de nuestros servicios principales a Europa, incluso tomando en cuenta toda nuestra historia) comenzaran con Frisia. La caridad empieza en casa y se extiende hacia los primos más cercanos. La conversión la llevaron a cabo sobre todo san Wilibrordo y los northumbrianos a principios del siglo VIII.

En tiempos de Alfredo, no se conseguía la ayuda de los frisones solo como mercenarios. Los frisones sufrían cuando Inglaterra y Alfredo sufrían. El alzamiento de la marea vikinga los destruyó a ambos, de hecho. Habían controlado las aguas cercanas (*mare Fresicum*), y los hallazgos arqueológicos indican que eso incluía el control de un comercio vivo con Noruega. *Dorostates Frisionum*, su ciudad principal, se conocía ya desde el siglo VI, en lugares tan lejanos como Italia, como un lugar

---

11. Plummer, *Bede*, i 249-251.

12. «Ut ergo conualuit, uendidit eum Lundoniam Freso cuidam» (p. 251).

de una importancia especial; así se la menciona en la obra conocida como el «Geógrafo de Rávena» (o su fuente).[13] Esta importancia sobrevivió hasta el siglo IX. Luego, esta ciudad de Dorestad (ahora Wijk bij Duurstede, a no demasiada distancia de Utrecht, en el Bajo Rin), la que una vez había sido uno de los centros principales del comercio en la Europa del norte, fue destruida por los repetidos ataques vikingos. Es evidente que en el año 700 los frisones ya habían sufrido agresiones de sus enemigos del sur, los francos, pero ya en esas fechas, el rey frisón, o el líder de su confederación más o menos centralizada, controlaba todavía todas las tierras costeras que se extendían desde las fronteras de los francos a las de los daneses.

Con todo, la historia de Finn pertenece a los tiempos heroicos; si se remonta al momento de prosperidad comercial frisona, también se remonta a un punto anterior a su declive y caída. Podríamos aventurarnos pues a preguntar (y deducir la respuesta): ¿qué pensaría de Finn un escritor inglés que conociera tanto las tradiciones heroicas como las condiciones aún vigentes del poder frisón en, por ejemplo, el siglo VIII?

Y podríamos responder: como el señor supremo de una confederación de tribus o asentamientos; en efecto, un cargo que no distaría tanto de un rey de Northumbria (dejando a un lado la formación peculiar de Frisia y sus islas), cuyo poder se extendía en realidad hacia los asentamientos a lo largo de la extensa línea de costa escocesa e inglesa, con una imprecisa frontera tierra adentro. Chambers perfila este interesante paralelismo[14]

13.   [Moritz Pinder y Gustav Parthey, *Ravennatis Anonymi Cosmographia* (Berlín, 1860) 27-28 (§i 11).]

14.   [Chambers, *Introduction*, 289.]

y afirma, con razón, que para comprender la atmósfera de la historia de Finn deberíamos leer los relatos de Beda sobre los reyes de Northumbria, las tribus subordinadas, las alianzas, las disputas, los intentos de asesinato y las hazañas reales de guardaespaldas y thanes. Esta comparación puede resultarnos útil más tarde, y, en todo caso, deberemos tomarla en cuenta al tratar la difícil pregunta: ¿dónde estaba Finnesburg y qué era? Si no se encontraba exactamente en Frisia, o no era su capital (como a menudo se sostiene), no es más forzado que afirmar que la fortaleza de Eadwinesburg, del siglo VII, debería estar situada a las afueras de los límites históricos de Deira, el reino de Edwin.[15]

Este relato de Finn (podríamos suponer) fue una vez el más conocido de Inglaterra (o, digamos, al menos de los siglos VI a VIII). De los cinco poemas heroicos o fragmentos que nos han sobrevivido en IA, tres se refieren a dicho relato. Podría decirse que uno de ellos (el *Beowulf*) lo presenta sin venir a cuento; o, mejor, lo selecciona a conciencia cuando debe hacerse referencia a un relato magnífico y conmovedor en el salón de un rey.[16] Como ya hemos dicho, ni el conocimiento del relato ni su popularidad se deben a inmigrantes frisones, ni a comerciantes frisones de épocas posteriores. «En la gran batalla del salón de Finn, la mayoría de las tribus del mar del Norte parecen haber reclamado su parte, y es probable que el relato les

15. [*Ibidem*, 259.]

16. Sobre esta cuestión, véase pp. 37-44; es posible que exista un vínculo especial entre el relato y la casa de Healfdene. Incluso tras el *Beowulf* yace el interés especial por el verso heroico en IA de la turbulenta historia de las aguas del norte en los siglos V y VI.

resultara familiar a todos desde una época temprana, y que lo llevaran allende el mar del Norte los juglares de razas sajona y juta»;[17] de hecho, en los pequeños botes originales.

Tal como era necesario, hemos echado un vistazo hasta donde ha sido posible a la situación frisona y la atmósfera inglesa en la época de composición (aproximada) de los tratamientos que nos han sobrevivido. Esto no es más que el preámbulo.[18]

17. En palabras de Chambers (*Widsith*, 67), quien por lo visto selecciona a los «sajones» y los «jutos» por Binz, que señala que los hombres y lugares con nombres relacionados con la historia de Finn se encuentran principalmente (a) en Essex, (b) en la antigua «tierra Ytena» (en una parte de Hampshire que más tarde absorbería Wessex), pero, por extraño que parezca, no en Kent. Véase Gustav Binz, «Zeugnisse zur germanischen Sage in England», *Beiträge zur Geschichte der deutschen Sprache un Literatur* xx (1895) 141-223, pp. 179-186.

18. [En este punto del manuscrito, Tolkien prosigue con lo siguiente:
Ahora debemos atacar los fragmentos en sí, y diseñar algún método para afrontar este enrevesado problema. El único método posible es, creo yo, prepararse para hacer repeticiones e incluso modificaciones durante el estudio. El procedimiento correcto consiste en empezar con un primer borrador de la traducción tanto del Episodio como del Fragmento. Este borrador apenas tendrá valor, y sin duda deberá rehacerse al final. Pero el proceso sí tiene valor: revelará las dificultades, los puntos que exigen un enfoque especial, dilucidación o consideraciones textuales; también es necesario afrontar primero la traducción sin una teoría, recurriendo únicamente a las fuentes de gramática y estudios sobre el IA; a pesar de que es posible que se desarrolle una teoría durante el proceso.

La dificultad de este procedimiento radica en que, por descontado, hay numerosos pasajes que apenas tienen sentido a menos que se diluciden a partir de alguna teoría sobre la historia, y deberán tomarse decisiones entre varias posibilidades, y esto también requiere una cierta teoría. Sin embargo, la teoría apenas se sostendría a menos que se base en el primer borrador de una traducción imparcial que busque, a partir de razones puramente lingüísticas, definir el sentido, o posibles sentidos, de las palabras sin prejuicio alguno.

Más adelante, Tolkien se da cuenta de que esa traducción «imparcial» es imposible. Modifica las palabras «el procedimiento correcto consiste» por «el procedimiento correcto consistiría» y «apenas tendrá valor» por «apenas tendría valor». También añade la nota a lápiz siguiente:

«De todos modos, la cuestión es tan compleja que pospondré la traducción preliminar hasta haber comentado los nombres propios. Debemos contar al menos con el atisbo de una idea antes de poder traducir los versos».

No llegaron a proporcionarse esas traducciones «imparciales», y, por tanto, he introducido aquí el texto del Fragmento y el Episodio, editados para incorporar las correcciones del comentario textual (las convenciones utilizadas son las de Klaeber). Las traducciones que incorporan los resultados de la investigación aparecen en las páginas 231-241: la traducción del Episodio es de Tolkien; dado que su traducción del Fragmento, si es que llegó a existir, no nos ha sobrevivido, he añadido una propia.]

TEXTOS

EL FRAGMENTO

"[…] [hor]nas byrnað."
[H]næ*f* hleoþrode,   heaþogeong cyning:
"Ne ðis ne dagað east*a*n,   ne her draca ne fleogeð,
ne her ðisse healle   hornas ne byrnað;
5   ac her forþ berað   [feorhgeniðlan,
5*   fyrdsearu fuslic.]   Fugelas singað,
gylleð græghama: guðwudu hlynneð,
scyld scefte oncwyð.   Nu scyneð þes mona
waðol under wolcnum,   nu arisað weadæda
ðe ðisne folces nið   fremman willað.
10   Ac onwacnigeað nu,   wigend mine!
Habbað eowre [h]lenca[n],   hicgeaþ on ellen,
þindað on orde,   wesað onmode!"
13   Ða aras [of ræste   rumheort] mænig
13* goldhladen ðegn,   gyrde hine his swurde,
ða to dura eodon   drihtlice cempan,
15   Sigeferð and Eaha,   hyra sword getugon,
and æt oþrum durum   Ordlaf and Guþlaf;

2a Næfre hleoþrode ða. 2b hearo geong. 3a Eastun. 11a landa. 11b Hie
geaþ. 12a Windað.

and Hengest sylf   hwearf him on laste.
Ða gyt Garulf[e]   Guðere styrde,
ðæt he swa freolic feorh   forman siþe
20 to ðære healle durum   hyrsta ne bære,
nu hyt niþa heard   anyman wolde;
ac he frægn ofer eal   undearninga,
deormod hæleþ,   hwa ða duru heolde.
"Sigeferþ is min nama," cweþ he,   "ic eom Secgena leod,
25 wreccea wide cuð;   fæla ic weana gebad,
heardra hilda;   ðe is gyt her witod,
swæþer ðu sylf to me   secean wylle."
     Ða wæs on healle   wælslihta gehlyn:
sceolde celæs bord   cenum on handa
30 banhelm berstan; buruhðelu dynede,
oð æt ðære guðe   Garulf gecrang
ealra ærest   eorðbuendra,
Guðulfes sunu,   ymbe hyne godra fæla,
hwearflicra hræw.   Hræfen wandrode,
35 sweart and sealobrun.   Swurdleoma stod,
swylce eal Finn[e]sburuh   fyrenu wære.
Ne gefrægn ic næfre wurþlicor   æt wera hilde
sixtig sigebeorna   sel gebæran,
39 ne nefre swanaas   sel forgyldan
39* hwitne medo,   [heardgesteallan,]
40 ðonne Hnæfe guldan   his hægstealdas.
Hig fuhton fif dagas   swa hyra nan ne feol,

18b styrode. 20b bæran. 25a Wrecten. 25b weuna. 26a heordra. 29a borð.
29b Genumon. 33a Guðlafes. 34a Hwearflacra hrær. 38b gebærann. 39-
39* Ne nefre swa noch hwitne medo. Sel forgyldan.

drihtgesiða,   ac hig ða duru heoldon.

   Ða gewat him wund hæleð   on wæg gangan,

sæde þæt his byrne   abrocen wære,

45   heresceorp u*n*hror,   and eac wæs his helm ðyr[e]l.

ða hine sona frægn   folces hyrde,

hu ða wigend hyra   wunda genæson,

oððe hwæþer ðæra hyssa [...]

El episodio

   Þær wæs sang ond sweg   samod ætgædere

fore Healfdenes   hildewisan,

1065 gomenwudu greted,   gid oft wrecen,

   Ðonne healgamen   Hroþgares scop

1067 æfter medobence   mænan scolde,

1067* [cwæð him ealdres wæs   ende gegongen,]

   Finnes eaferum,

                Ða hie se fær begeat,

hæleð Healfdene,   Hnæf Scyldinga,

1070 in Freswæle   feallan scolde.

   Ne huru Hildeburh   herian þorfte

Eotena treowe: unsynnum wearð

beloren leofum   æt þam li*n*dplegan,

bearnum ond broðrum;   hie on gebyrd hruron,

1075 gare wunde;   þæt wæs geomuru ides.

   Nalles holinga   Hoces dohtor

45a Here sceorpum hror.
1069a healf dena. 1073b hild plegan.

meotodsceaft bemearn,   syþðan morgen com,
ða heo under swegle   geseon meahte
morþorbealo maga.   Þær he ær mæste heold
1080 worolde synne,   wig ealle fornam
Finnes þegnas,   nemne feaum anum,
þæt he ne mehte   on þæm meðelstede
wig Hengeste   wiht gefeohtan,
ne þa wealafe   wige forþringan
1085 þeodnes ðegne.   Ac hig him geþingo budon,
þæt he him oðer flet   eal gerymde,
healle ond heahsetl,   þæt hie healfre geweald
wið Eotena bearn   agan moston,
ond æt feohgyftum   Folcwaldan sunu
1090 dogra gehwylce   Dene weorþode,
Hengestes heap   hringum wenede
efne swa swiðe   sincgestreonum
fættan goldes,   swa he Fresena cyn
on beorsele   byldan wolde.
1095   Ða hie getruwedon   on twa healfa
fæste frioðuwære.   Fin Hengeste
elne unflitme   aðum benemde,
þæt he þa wealafe   weotena dome
arum heolde;   þæt ðær ænig mon
1100 wordum ne worcum   wære ne bræce,
ne þurh inwitsearo   æfre gemænden,
ðeah hie hira beaggyfan   banan folgedon
ðeodenlease,   þa him swa geþearfod wæs.
Gyf, þonne, Frysna hwylc   frecnan spræce

1086a hie. 1086b gerymdon. 1104b frecnen.

1105 ðæs morþorhetes   myndgiend wære,
þonne hit sweordes ecg   seðan scolde.
A*d* wæs geæfned,   ond icge gold
ahæfen of horde.   Here-Scyldinga
betst beadorinca   wæs on bæl gearu.

1110 Æt þæm ade wæs   eþgesyne
swatfah syrce,   swyn ealgylden,
eofer irenheard,   æþeling manig
wundum awyrded.   Sume on wæle crungon!
Het ða Hildeburh   æt Hnæfes ade

1115 hire selfre sunu   sweoloðe befæstan,
banfatu bærnan,   ond on bæl don
*ea*me on eaxle.   Ides gnornode,
geomrode giddum.   Guðr*e*c astah.
Wand to wolcnum   wælfyra mæst,

1120 hlynode for hlawe.   Hafelan multon,
bengeato burston,   ðonne blod ætspranc
laðbite li*g*es.   Li*c* eal*l* forswealg
gæsta gifrost,   þara ðe þær guð fornam
bega folces.   Wæs hira blæd scacen!

1125   Gewiton him ða wigend   wica neosian,
freondum befeallen,   Frysland geseon,
hamas ond heaburh.   Hengest ða gyt
wælfagne winter   wunode mid Finne
[ea]l unhlitme;   eard gemunde,

1130 þeah þe he [ne] meahte   on mere drifan
hringedstefnan: holm storme weol,

1106b syððan. 1107a að. 1117a earme. 1118b guð rinc. 1122a lices.
1122b lig ealle.

won wið winde,   winter yþe beleac
isgebinde,   oþðæt oþer com
gear in geardas,   swa nu gyt doð,
1135 þa ðe syngales   sele bewitiað,
wuldortorhtan weder.   Ða wæs winter scacen,
fæger foldan bearm.   Fundode wrecca,
gist of geardum -   he to gyrnwræce
swiðor þohte   þonne to sælade,
1140 gif he torngemot   þurhteon mihte
þæt he Eotena bearn   inne gemunde.
Swa he ne forwyrnde   w[e]orodrædenne,
þonne him Hunlafing   Hildeleoman,
billa selest,   on bearm dyde -
1145 þæs wæron mid Eotenum   ecge cuðe;
swylce ferhðfrecan   Fin eft begeat
sweordbealo sliðen   æt his selfes ham,
siþðan grimne gripe   Guðlaf ond Oslaf
æfter sæsiðe   sorge mændon,
1150 ætwiton weana dæl: ne meahte wæfre mod
forhabban in hreþre.   Ða wæs heal roden
feonda feorum,   swilce Fin slægen,
cyning on corþre,   ond seo cwen numen.
Sceotend Scyldinga   to scypon feredon
1155 eal ingesteald   eorðcyninges,
swylce hie æt Finnes ham   findan meahton
sigla, searogimma.   Hie on sælade
drihtlice wif   to Denum feredon,
læddon to leodum.

1134b deð. 1142b worold rædenne. 1151b hroden.

Glosario de nombres

Si damos por sentado (algo inevitable, como una sencilla hipótesis preliminar, y probablemente correcto en todo caso, como pueden demostrar investigaciones posteriores) que los dos fragmentos tratan en esencia la misma versión de los mismos acontecimientos, podemos suponer de primeras que el Fragmento trata de una parte de los acontecimientos que preceden a la cuestión principal del Episodio; al menos el Fragmento que conservamos, vaya. El Fragmento es un fragmento, y su final accidental no prueba que la preocupación del Episodio con la situación que sucede a la batalla sea peculiar, o que la posición de Hengest después de la batalla no fuera también para el autor del Fragmento la parte principal del relato (por distintos que sean el estilo, el tratamiento y el objetivo de los del autor del *Beowulf*).

El Fragmento comienza con el «joven rey» vislumbrando un ataque, como los yelmos que relucen cuando atacan el salón dormido en el *Cantar de los nibelungos*. Podríamos suponer que este rey es Hnæf.[1] Los detalles del ataque y la defensa siguen siendo vagos a simple vista, pero nos percatamos de que Hengest ya ocupa una posición peculiar antes de la caída

---

1. Que el nombre de Hnæf en realidad se oculte en el texto en una deformación se comentará más adelante, en la página 132.

de Hnæf («Hengest sylf», 17). Por lo visto, hay dos puertas, una protegida por Sigeferth y Eaha (*Eawa) y la otra por Ordlaf, Guthlaf y Hengest. Un joven Garulf, a pesar de que un tal Guthere pruebe de disuadirlo, ataca a Sigeferth y es el primero en caer. Se le llama «Guðlafes sunu», y a simple vista parece en efecto que padre e hijo se encuentran en bandos opuestos, una característica asombrosa que, de pertenecer al relato, debía de ser un elemento importante, si tenemos en cuenta la prominencia e importancia otorgada tanto a Garulf como a Guthlaf.

La batalla continúa durante cinco días y no cae ningún defensor. Poco después, oyen a alguien (¿un atacante?) regresar y hablar con su inquieto señor («folces hyrde»); ¿podría ser Finn? En ese punto, el Fragmento se interrumpe.

Hay como mínimo dos combates en el salón de Finn: es evidente (con Hengest dentro) que el Fragmento no trata sobre el ataque por venganza del final del Episodio, cuando abaten a Finn. Es un ataque nocturno, que conecta de forma adecuada con «syþðan margen cwom» (*B.* 1077). No es necesario asumir discrepancia alguna entre el Fragmento y el Episodio. El Episodio (1076 y ss.) solo nos cuenta que al rayar el alba, Hildeburh ve (es decir, está en proceso de observar) «morþorbealo maga». No se refiere, necesariamente, a los suyos, pero ya hablaremos de eso más adelante. El significado probable, según el uso poético en IA, de *morþorbealo* («murder-bale» 'asesinato-maldad' en inglés moderno) es «matanza cruel o vil»; sin embargo, (a) podría tratarse de una expresión condensada, a la manera del Episodio, bastante compatible con un ataque nocturno, conocida en el burgo cuando se hizo de día, lo cual provocó una dilatada batalla; sin duda ya se habían producido bajas antes de la primera mañana entre los *magas* de algún bando, incluso aunque no cayera ninguno de los defensores durante un largo tiempo; pero que el proceso de las muertes al completo se observó por primera vez la mañana posterior al ataque puede condensarse en esta frase; (b) es posible, aunque menos sencilla, la suposición de que hubo más de un ataque durante la noche sobre los defensores del salón, y que en el Episodio, que se apresura por llegar al acuerdo y a la situación resultante, solo se aluda explícitamente al último (en el que cayó Hnæf), que precedió o requirió el acuerdo. De hecho, el Episodio no nos dice nada positivo sobre la duración de la batalla.

Con todo, vemos en el Episodio que, al final, Hnæf (que, de momento, asumimos como el «joven rey» del Fragmento) fue abatido en la defensa, y, de algún modo (uno de los puntos cruciales de cualquier interpretación), también el hijo de Finn y su esposa Hildeburh. También perecieron casi todos los thanes (no el pueblo) de Finn.

Luego llega el quid de la interpretación: descubrimos que Hengest ha sobrevivido y que se ha llegado a un misterioso acuerdo de paz, cuyos términos y razones no es posible comprender a simple vista. Entre las vaguedades, las referencias a «wealaf» (1084, 1098) son tanto complejas como de una importancia fundamental.

Se produce un funeral con cremación, lo que lo determina como un relato pagano precristiano, que se reconoce y ubica todavía como tal. Los guerreros se dispersan «para ver Frysland»; pero «Hengest permanece con Finn». Aunque vagamente, percibimos que está atribulado, dividido entre la lealtad hacia el derrotado Hnæf y los nuevos juramentos hacia Finn, y, por unos métodos aún más vagos, se ve arrastrado a participar en la venganza. Las referencias a los *Eotena* (gen. pl.), por no mencionar las de Healfdene y los *Scyldingas*, también son difíciles y oscuras, pero es obvio que resulta importante dilucidarlas, si es que se quiere alcanzar una solución. La dificultad final es la de los dos Guthlafs.

Tras ese primer vistazo, es evidente que primero es necesario esclarecer cuando sea posible la identidad de los personajes nombrados en el relato y las relaciones que hay entre ellos. Por tanto, propongo presentar de inmediato una lista con todos los nombres del Fragmento y el Episodio con referencias, así como con notas de todo aquello que sea destacable, o claramente observable a simple vista (antes de desarrollar cualquier teoría clara).

Enumero los nombres por orden de aparición, empezando por el Fragmento; un * precede a los nombres que aparecen tanto en el Fragmento como en el Episodio.

El fragmento

Sigeferð: «Sigeferð and Eaha» 15; «Sigeferþ […] ic eom Secgena leod» 24. Parece ser uno de los guerreros de Hnæf y, en cualquier caso, un defensor. Pertenece o es el príncipe de una tribu conocida como *Secgan*. Sobre la relación de este nombre con *secg* 'espada', cf. *Seaxan* en relación con *seax* 'cuchillo'; también *Swordwerum* (junto con *Sycgum*) en el *Widsith* 63. Por tanto, es probable que *Secgan* esté relacionado con la palabra poética *secg* 'espada'. Esta tribu es, sin duda, la misma que los *Sycgum* de los versos 31 y 63 del *Widsith*.[2] La doble referencia

---

2.   *Sycg-* podría considerarse un «error ortográfico» de *Secg-*. En lugar de un caso de *y* por *e* (un rasgo del kéntico tardío), es probable que estemos

quizá indique la importancia en la juglaría antigua. La primera referencia es sugerente por encontrarse en el contexto de
Finn. En el *Widsith*, el gobernante de la tribu es *Sæferð*. Este
nombres es lo bastante similar al del Fragmento como para
justificar la hipótesis de que los dos están como mínimo relacionados, o que sea muy probable que sean idénticos (en el
tratamiento de *Heregar ~ Heorogar* que se ha observado en
nombres antiguos).[3] Hoy no sabemos nada de la ubicación
precisa ni la historia de los *Secgan* o sus príncipes. Sigeferth,
sin embargo, utiliza para sí mismo la significativa palabra
wrecca: «ic eom Secgena leod, wreccea wide cuð; fæla ic weana
gebad, heardra hilda».[4] Por eso, no era un príncipe «residente»,
ni uno que contara necesariamente con su propio séquito de
Secgan; era un aventurero, o un hombre que había puesto su
espada al servicio de otro señor. Cf. Wulfgar «Wendlaleod» al
servicio de Hrothgar (*B.* 348); *wrecca* se aplica también a
Hengest (*B.* 1137) y Sigemund (*B.* 898). Véase más información sobre esta palabra en *Hengest*, donde es importante.

Eaha: «Sigeferð and Eaha» 15. No se lo menciona en ningún otro sitio. Si la forma de Hickes es correcta, solo puede
ser un nombre con una (extraña) *h* medial doble original,
*Eahha o **Eohha*. Esta idea podría reforzarla la aparición de

---

ante un ejemplo de un occidental tardío *secg > sycg*, un cambio que evidencia en IM *suggen* 'decir' (IA *secgan*), aunque casualmente no se haya registrado ningún uso del **sycgan* 'decir' en IA.

3.   Véase la nota sobre *Ordlaf* a continuación, p. 54.

4.   *Wea* no es sinónimo de *hild*, pero aquí se usan como equivalentes.
Por tanto, *wea* es un combate funesto: esto nos ayuda a decidir el significado de *wealaf* (*B.* 1084, 1098).

Eahha, por ejemplo, entre los nombres del *Liber Vitæ ecclesiæ Dunelmensis*.[5] Hickes confunde algunas letras con tanta frecuencia que es tentador corregirlas. En el verso 28, su *healle* probablemente debería ser *wealle*.[6] Por tanto, resulta atractivo corregir el nombre a *Eawa* (cognado con el AAA *Ouwo*), un nombre que aparece en las genealogías mercianas y que podría vincularse también con el nombre tribal *Eowum* (dat. pl. de *Eowan*) en el verso 26 del *Widsith*, justo antes de los jutos y Finn. Lo mantengamos o lo corrijamos, no volvemos a oír hablar de este héroe olvidado.

*Ordlaf: «Ordlaf and Guþlaf» 16. Esta pareja no puede separarse de los «Guðlaf ond Oslaf» del Episodio (véase *B.* 1148). Los nombres de personas no solo legendarias, sino también históricas, tienden a sufrir variaciones en su primer elemento, mientras que conservan la primera letra y el último elemento intactos. Por tanto, *Heregar* (*B.* 467) por *Heorogar*. Esto no se debe a la falta de diferenciación de los nombres, sino a una mezcla de fallos de memoria y transcripción. La confusión entre *ord* y *os* no es improbable desde un punto de vista paleográfico. En Searle,[7] encontramos las formas distintas *Ordbeorht/Osbeorht* para el mismo obispo de Selsey, y *Ordgar/Osgar* para el mismo abad de Abingdon. *Ordlaf*, y no *Oslaf*, es probablemente la

---

5. [Sweet, *OET*, 154-66: el nombre *echha* aparece en las líneas 53, 94 y 96. El mismo nombre aparece con la forma *aehcha* en una escritura kéntica temprana del siglo VIII: *ibidem*, 428, Fuero 5, línea 7.]

6. [No hay mención a esta popular corrección en las notas del texto del Fragmento.]

7. [Searle, *Onomasticon, s. v.*]

forma correcta del nombre; más información en la sección de nombres del Episodio.

Guðlaf (i). Cf. lo anterior, y véanse los nombres del Episodio.

Guðlaf (ii): «Guðlafes sunu» 33. Esta frase se usa en el caso de Garulf. Que Garulf es «hijo de Guthlaf» debe de significar una de las tres opciones siguientes:

(1) que padre e hijo estaban en bandos opuestos (es decir, que Guthlaf (i) y (ii) son idénticos), puesto que Garulf es claramente un atacante y Ordlaf y Guthlaf son, sin duda, defensores;

(2) que había dos Guthlafs distintos involucrados en este relato;

(3) que Hickes (o el manuscrito que había antes de él) cometió un error y *Guðlaf* (33) debería ser otro nombre.

(1) Este caso no es ni mucho menos imposible, pero creo que puede descartarse aquí de consideraciones prácticas; ya hay demasiadas conjeturas como para complicarnos también con lo más improbable. Si tenemos en cuenta que tanto Garulf como Guthlaf (i) son claramente importantes, esta cuestión se aprovecharía mucho más; como mínimo, la relación se mencionaría de forma explícita, y justo en ese momento del relato. En este caso, no tiene sentido decir «no sabemos qué contenía el lay completo», pues es precisamente en ese punto del lay que conservamos donde esperaríamos encontrar alguna nota o comentario sobre la relación, por escasa y sucinta que fuera, si no en otro lugar.

(2) Esto es menos imposible de lo que podría parecer a simple vista, aunque, de nuevo, creo que es lo bastante improbable

como para ser irrelevante. Si Guthlaf (i) y Guthlaf (ii) fueran dos personajes auténticos y diferentes, esperaríamos encontrar alguna explicación, por breve y sucinto que fuera el lay. Sin duda, tal como se ha destacado, incluso entre los pocos nombres mencionados en *La batalla de Maldon*, hay dos Wul(f) mærs y dos Godrics. Sin embargo, al examinar con detenimiento *La batalla de Maldon*, vemos que es una prueba justo de lo contrario. Podemos dejar a un lado la consideración de que es un poema en un plano bastante distinto al del Fragmento; es decir, cuando menos que está más ligado a los hechos triviales de la historia que no se preocupa en nombrar a sus personajes de manera distintiva como se esperaría que hubiera hecho una leyenda trabajada (por mucho o muy poco histórica que sea su base, como creo que es el caso de la historia de Finn). Con todo, si los tratamos desde la misma base histórica, puede observarse que incluso en *Maldon* la presencia de dos Godrics parece ser un obstáculo, y el último verso se reserva para explicar la distinción con «næs þæt na se Godric þe ða guðe forbeah». También se añaden, claro, los padres de ambos para distinguirlos aún más («Oddan bearn» 186, «Æthelgares bearn» 320). Además, a Wulfmær se lo distingue con precisión como «Byrhtnoðes mæg [...] his swuster sunu» (114-15) —el poeta tuvo tiempo de tratar esta íntima relación— de Wul(f)mær (ii) «se geonga» y «Wulfstanes bearn» (155). Cabe destacar también que *Godric* y *Wulfmær* son dos nombres extremadamente comunes en inglés antiguo. *Guðlaf* es muy inusual: en efecto, no es lo bastante sólido; no hay ninguna otra ocurrencia del nombre fuera del Fragmento y el Episodio, hasta donde sé. Podría concederse, pues, que el hecho de que existan dos Guthlafs sin relación alguna es una suposición muy improbable.

Nos queda, por tanto, (3) como opción principal. No puede demostrarse, y *Guðlafes* aparece sin duda en la transcripción; pero las posibilidades de deformación de un nombre propio (en lo que parece un manuscrito tardío en IA, después de haber sido copiado por manos inexpertas e impreso) no necesitan prueba alguna. Incluso en manuscritos en IA, e incluso en algunos tan buenos como el del *Beowulf*, los nombres propios, sobre todo los de los personajes de los viejos relatos, aparecen constantemente deformados o confundidos. No es necesario ilustrar los errores de Hickes (ni de otros transcriptores como Elphinston con Hearne).

Desde un punto de vista puramente paleográfico, *Guðulf* sería una corrección posible y, sin duda, tentadora. La similitud de este con *Guðlaf*, que aparece más arriba, casi bastaría para explicar el error, sin ilustración de la confusión entre *a* y *u* (vista en *eastun* 3, *weuna* 25), que podría haber ayudado. Dejando a un lado la paleografía, *Guðulf* sería un nombre satisfactorio para un padre de Garulf (cf. Gefwulf de los jutos en *Widsith* 26). Que no haya pruebas del nombre en Inglaterra no rebate esta teoría; es un nombre germánico (y las formas *Gundulf, Gunnulf*, de orígenes diversos, aparecen más tarde en Inglaterra). Véase la nota sobre *Guðere* a continuación.

*Hengest: «Hengest sylf» 17. Huelga decir que esta frase no implica necesariamente que Hengest fuera rey o príncipe, pero sí muestra que es de una importancia especial en el relato; lo más probable que podemos deducir a partir de *sylf* es que Hengest ya se había mencionado con detenimiento en la parte del poema ahora perdida. Por desgracia, a partir del Fragmento no podemos saber cuál era su «tribu» o nación: todo lo que podemos afirmar es que está dentro y es uno de los defensores principales. Para un tratamiento más completo, véanse los nombres en el Episodio.

Garulf 18, 31. También encontramos usos reales de este nombre en época anglosajona. Como personaje heroico, no sabemos nada más de él de lo que puede deducirse a partir de las dos referencias del Fragmento. Era un caudillo o el hijo de un caudillo que gobernaba en ese momento; no un *wrecca*, pues se lo disuade de poner en peligro su «preciada vida» en el primer asalto. Debía de haber una razón muy especial para que fuera tan arduo contenerlo, y por qué (por inusual que fuera) debía contar con un mentor no para guiarlo, sino para retenerlo. La suposición más obvia es que habían depositado en él las esperanzas de una dinastía y un grupo, y que su muerte sería más que bienvenida para algunos, al menos para los del interior. De hecho, no es fácil pensar en ninguna otra buena razón. Que Garulf fuera un príncipe juto no es más que una conjetura, por desgracia, aunque probable (y muy sugerente). Sin embargo, el único argumento a favor es el hecho de que en este Fragmento estemos tratando sin duda con historias del mismo grupo de personas que se relacionan en los versos 24 a 35 del *Widsith*. Allí, justo antes de que se mencione a Finn (aunque sin ningún tipo de compulsión aliterativa), tenemos «Ytum [weold] Gefwulf». Garulf y Gefwulf pueden estar en efecto relacionados; pero, si la suposición juta es correcta, es claramente mucho más probable que sean la misma persona; cf. *Sigeferð*, *Ordlaf* más arriba. En ese caso, es probable que *Gefwulf* sea correcto, porque no lo encontramos en ningún otro sitio (y, por tanto, es improbable que aparezca por sustitución) y por la autoridad superior del *Widsith*. Digo «claramente mucho más probable» porque si este tal G—ulf es un juto que muere joven en una de las batallas legendarias más famosas en el salón de Finn, sería a él (y no a un hijo suyo que debió de reinar mucho después de la caída de Finn) a quien mencionarían con toda probabilidad en el *Widsith* junto a Finn.[8]

Al menos resulta evidente en el breve Fragmento que Garulf es importante en sí mismo y para el relato, lo que refuerza nuestra búsqueda de una tribu importante con la que relacionarlo. No es razonable imaginar que se les dediquen 16 de versos (de los 47 y medio que nos han sobrevivido) a él y a su disputa con Sigeferth y su caída solo porque sea la primera baja, cuya desafortunada prioridad le otorgó una prominencia ficticia. De hecho, no debemos olvidar a Garulf, ni siquiera en un problema que trata sobre todo con la figura más significativa de Hengest.

Guðere 18. Es posible que Garulf fuera un hombre joven, pero no es una deducción segura a partir de su entusiasmo y las palabras de contención que le dirige Guthere. Si era joven, aunque fuera un caudillo o un príncipe, probablemente Guthere fuera mayor; un mentor, un tutor, un thane de confianza o incluso un *eald geneat*, similar a los *æscwiga* pero de un carácter muy distinto. La calidad de su consejo, sea cual sea la historia que hay detrás, probablemente indique a alguien de rango alto, sin duda un miembro de la misma familia. La aliteración

---

8.   Con todo, Gefwulf podría haber sido el último rey independiente de los jutos; su hijo Garulf murió en el exilio. [La sugerencia de que Gefwulf era el padre de Garulf no es coherente con lo que se indica más arriba sobre que el nombre del padre de Garulf era Guthulf; Gefwulf pudo haber sido un ancestro remoto.]

refuerza esta idea hasta cierto punto, así como la similitud del primer elemento con el de *Guðlaf* (ii)/*Guðulf*, el padre de Garulf. Encontramos usos reales, aunque ocasionales, del nombre *Guðhere* (del que probablemente *Guðere* sea una forma tardía), pero es inusual. Su aparición aquí es interesante si tenemos en cuenta que este personaje «heroico» comparte nombre con el famoso rey borgoñés, pero es, sin duda, otra persona. No conocemos nada más sobre él, aunque es evidente que debía haber más, incluso si, como es probable, fue uno de los muchos que perecieron junto a Garulf, el de la «preciada vida» (verso 33). No es probable que en el lay se hayan usado nombres de personas de escaso interés o importancia.

Secgena leod 24. Véase *Sigeferð*.

*Finn 36. Hickes: «Swurd-leoma stod. Swylce eal Finnsburuh. Fyrenu waere».[9] Aquí solo trataremos la expresión *Finnes buruh*; para Finn, véase el Episodio.

Es posible que *Finnes Burg* fuera el nombre real de una fortaleza histórica, o de una fortaleza que no tardó en convertirse

---

9.   Véase p. 29, nota al pie 1. La corrección a *Finnes* es necesaria tanto gramática como métricamente (*buruh* es una ortografía tardía; la palabra se mide como *burh*, *Burg*, no U U). Es destacable que los editores mantengan *Finns-*, mientras que por lo general corrigen *ðyrl* (con una *e* similar omitida) en el verso 45 por la forma *ðyrel*; *ðyrel* es necesaria para el metro, pero no más que *Finnes*, y es en sí misma una forma mucho más posible. [Este argumento sobre la métrica no es válido, puesto que hay varios casos en el *Beowulf* de primeros hemistiquios que terminan con un compuesto bisilábico: «Bær þa seo brimwyl[f]» (1506), «Me þone wælræs» (2101), etc. El caso de *ðyrl* no es comparable, dado que en este caso hablamos de un segundo hemistiquio, en el cual la forma *ðyrel* es absolutamente imprescindible].

en una característica fija y definitivamente concebida del relato. Véase la p. 40 y la comparación con el IA *Eadwines burg* (Edimburgo), la fortaleza del rey Eadwine de Northumbria, cuyo nombre se originó aproximadamente en el año 625 d. C. A pesar de todo, creo que se le han dado demasiadas vueltas. No estamos tratando hechos históricos puros, sino tradiciones poéticas, por muy históricas que puedan ser en sus fundamentos. Este tipo de nombres eran la manera natural en estas leyendas (donde los nombres de los actores solían sobrevivir a los recuerdos de la geografía) de indicar el lugar, concebido vagamente desde un punto de vista geográfico, donde el rey reunía a la corte. De ahí que en el *Cantar de los nibelungos* Atila viva en *Etzelnburg*. No hay en el nombre, más allá de lo que pueda descubrirse al investigar el idioma del Episodio, nada que impida identificar *Finnes Burg* con *Finnes ham* (*B.* 1156), o al menos con una parte. En efecto, sería un remate algo pobre de la historia que la venganza alcanzara a Finn en un lugar diferente al de la trágica batalla. En cualquier caso, *Finnes ham* es sin duda la «capital» de Finn, y allí se encontraban todas las riquezas y joyas de Finn. No se trataba de una fortaleza periférica.

*Hnæf: «Hnæfe» 40. Solo a partir del Fragmento, es evidente que se trata de un «rey» o caudillo; es a él a quien los defensores deben lealtad, y es la protección del rey lo que se les elogia haber recompensado con su valor. Probablemente se trata del «joven rey» de los primeros versos. En ese caso, es más joven, o eso nos llevaría a pensar, que su hermana Hildeburh, dado que el hijo de esta, el sobrino de Hnæf, muere en el conflicto. De todos modos, debemos reservar para más adelante esta cuestión, que incluye el significado de *heathogeong*, el momento en que el hijo de Finn halla la muerte y, en efecto, una discusión sobre la mayoría de los problemas de la historia. Para más información sobre Hnæf, véanse los nombres del Episodio.

La mención de Finn en *Finn[e]sburuh* es la única aparición de su nombre en el Fragmento. Es precisamente esta aparición, junto con el Hnæfe del verso 40, lo que demuestra en realidad que el Fragmento y el Episodio están relacionados. Pero a pesar de la afortunada aparición de estos nombres en la exigua pieza que conservamos (y su afortunada preservación más o menos incorrupta),[10] y aunque ambos podrían haberse omitido con facilidad por giros expresivos, no sería exagerado afirmar que la conexión entre el Fragmento y el Episodio sería poco más que una arriesgada conjetura, por mucho que se mencione a Hengest y Guthlaf.

El episodio

Healfdene. Todas las cuestiones, menores y mayores, que surgen cuando se investiga el problema del Freswæl, están estrechamente relacionadas y se ramifican hasta formar puzles intricados, lo cual refleja, creo, el hecho de que al tratar este problema estamos intentando desentrañar las reminiscencias de un relato histórico que ocupa el centro de las complejidades de la historia del «mar del Norte» durante los siglos v y vi. Hablamos del telón de fondo de las tradiciones heroicas en inglés antiguo, así

---

10.   Además, Hnæf aparece con toda probabilidad (aunque no pueda demostrarse) oculto por deformación en la palabra *næfre* del verso 1 del Fragmento. Sobre esta cuestión, véase el análisis textual de la p. 132.

como de los orígenes ingleses, y también del bagaje mental del autor del *Beowulf*, además de otros autores ya perdidos.

A simple vista, una vista en la que no suele profundizarse, no es más que un tedioso accidente, si no el resultado malicioso de una corrupción despistada del texto, que la expresión aparentemente forzada y dudosa «fore Healfdenes hildewisan» (*B*. 1064) aparezca cuando lo hace para acentuar el desafortunado hecho de que el nombre de la «tribu» de Hnæf, los *Healfdene*,[11] coincida de casualidad con el del padre de Hrothgar.

Los comentarios siguientes, extensos y enrevesados, están dirigidos a demostrar que esa «expresión inusual» es, forzada o no, deliberada y significativa; y que la tediosa homonimia no es accidental, sino algo que indica una conexión que, si se prueba o demuestra que sea probable, debe ser de una importancia capital a la hora de formarse una idea sobre la posición de Hnæf y Hengest, así como de la política de Finn, y, así, del problema al completo. Esta debe ser la excusa. Comienza con la ventaja inicial de que se basa (al menos en un principio) en lo que tenemos y en explicarlo, no en justificarlo ni en descartar palabras y nombres por ser «convenciones de la épica», «innovaciones beowulfianas» y elementos similares. Si debemos recurrir a las suposiciones y a una reconstrucción arriesgada, no podremos evitarlo ni siquiera con un enfoque tan dañino del problema. Y creo, a pesar de que no debería entregarme sin mesura, que las conjeturas son razonables, pues

---

11. Episodio, verso 1069: «hæleð Healfdena Hnæf Scyldinga». [Tolkien recomendó más tarde la corrección de *Healfdena* por *Healfdene*; véase p. 148.]

operan de forma similar a como se sucedían estas pugnas dinásticas y territoriales, y son mejores que las disparatadas historias de hijos demoníacos de los troles, tesoros malditos o ¡imágenes sentimentales en las que «the pale figure of Hildeburh [...] drifts athwart the gloomy of tragedy like a White Dove in a charnel-house»![12] [13]

Para llegar a comprender la situación al completo, creo que es imprescindible, si es que alguna vez la crítica de la estructura frágil de las hipótesis que aquí se presentan puede ser justa, una valoración exhaustiva de los daneses, y de los eskildingos desde Healfdene en adelante, incluido el conflicto hetobardo y su importancia en la historia nórdica. Esto, sin embargo, no es posible aquí: debo limitarme (más o menos) al nombre *Healfdene*, el personal y el «tribal», y en su relación directa con nuestro problema.

El Episodio muestra claramente que, a pesar del extraño nombre *Healfdena* (1069) (según aparece como genitivo plural y, a simple vista, «tribal»), o semidaneses (que, como nombre de grupo, no aparece en ninguna otra parte), el pueblo de Hnæf se considera danés, al menos desde un punto de vista político. En efecto, se les atribuye el nombre de *Scyldinga* g. pl. (1069, 1154); *Here-Scyldinga* (1108); y *Dene* (1090, 1158).

Se ha observado, por descontado, que en el Fragmento no se menciona a los daneses, pero tampoco a los frisones, ¡y nadie duda de que estuvieran involucrados! En efecto, creo que

---

12. [Williams, *Finn Episode*, 33. Salta a la vista que este pasaje impresionó poderosamente a Tolkien, pues lo cita varias veces en los manuscritos.]

13. [*N. del T.*] La pálida figura de Hildeburh [...] vaga por el sombrío trasfondo de una tragedia como una paloma blanca en un osario.

es evidente que una perspectiva razonable vería, en lugar de considerar la nacionalidad danesa de Hnæf una «innovación beowulfiana», en esta nacionalidad o asociación política danesa de los defensores (quienes después de ser agraviados triunfan sobre los frisones, los rivales más poderosos de los daneses en las aguas del norte) como mínimo una de las razones de por qué esta historia se seleccionó como «típica de la juglaría de Heorot» en tiempos de celebración. De lo contrario, nos veríamos obligados a aceptar la ridícula suposición de que el autor del *Beowulf* llevó en primer lugar un relato que no era demasiado adecuado para Heorot, y luego danesizó a Hnæf, de una forma errónea y gratuita, para que encajara.[14]

Si el *Beowulf* innovó en algo, fue sin duda en su peculiar uso de *Healfdena* g. pl. en el verso 1069, un uso que, como veremos, es bastante único en los registros germánicos. Los nombres de grupos o «tribales» solían proporcionar elementos de antropónimos (*Gaut, Wealh*, etc.), o dar pie o convertirse en antropónimos, igual que ocurre todavía con los apellidos. No puede negarse que *Healfdene*, a pesar de ser un antropónimo (NA *Halfdanr*), contiene asimismo un elemento tribal («danés»). El prefijo es extraño, y, en efecto, un caso

---

14. La idea de Williams [*Finn Episode*, 10-11] de que la historia de Finn se seleccionó como un tema adecuado para una canción en ese momento solo porque contaba una batalla en un salón, y el banquete que celebraba una batalla en un salón, es absurda. Hay muchos relatos de batallas en salones, pero ninguno tan diferente a las historias de la defensa de Hnæf y la humillación de Grendel. Salvo que en una el héroe y en la otra el villano se encuentran en un salón que no les pertenece, no hay ningún otro punto de contacto. La teoría se debe en cualquier caso a una interpretación de «healgamen» (1066) que es, en sí misma, ridícula.

prácticamente aislado, y sobre todo es inusual para referirse al nombre del líder de una de las casas de la realeza danesa más reconocidas. El nombre y su aparición dinástica exigen sin duda explicación, pues Healfdene el eskildingo parece ser el primero con ese nombre del que se tienen registros, como uno puramente personal; un nombre que siguió siendo escandinavo[15] y cuyo amplio uso es probable que se debiera en su origen a la fama de la casa de los eskildingos y a su leyenda.

La explicación obvia de que significa «medio danés», una persona de parentesco medio danés, es claramente la única que es probable que sea cierta. El uso de *Half-* como primer elemento en nombres se limita a este caso (si ignoramos nombres imprecisos en los que la adición inorgánica de *h-* al elemento *alb-* 'elfo' es segura o probable), excepto, hasta donde sé, en (a) «Healfheages gemæro», citado por Searle en *B. C. S.* 1316,[16] que dirige a un apodo *Healf-heah*, una alteración divertida

15. Su uso era popular entre los invasores nórdicos de Inglaterra, y aparece por primera vez en suelo inglés (con personas históricas) a finales del siglo IX. Junto con *Bachsecg*, se trata de hecho del primer antropónimo escandinavo que se registra en la *Crónica* [año 871]. Las formas que encontramos más tarde suelen delatar un origen escandinavo (*Halfdan, Haldan*), pero también se les otorga una forma puramente inglesa (*Halfdene, Healfdene*) incluso cuando se refieren sin duda a personas nórdicas, como en la batalla de Ashdown (871). Esta anglicanización, que no es normal, no puede deberse únicamente a lo perspicuos que son sus dos elementos; tiene que deberse en cierta medida a un reconocimiento del nombre por parte de los ingleses, aunque no hay pruebas de su uso con ninguna otra persona que no sea «Healfdene gamol» el eskildingo, a cuya fama en sus tradiciones se debe sin duda ese reconocimiento.

16. [Searle, *Onomasticon*; la abreviación *B. C. S.* se refiere a W. de G. Birch, *Cartularium Saxonicum* (1885-9)].

(suponemos), no una simple corrupción, del nombre común *Ælfheah*; y (b) los nombres *Halbthuring, Halbwalah* que cita Förstemann,[17] donde es muy significativo que los segundos elementos sean raciales, de modo que la explicación de Förstemann (al menos en su génesis) de que significan «un hombre de sangre medio turingia o medio romance» es claramente correcta. Un significado así debió de ir unido en origen al nombre de *Healfdene*; pero es fácil que «apodos» o «apellidos» se conviertan en antropónimos sin significado literal, sin más razón que un vínculo familiar o dinástico para su última aplicación. Aunque no sea imposible, es altamente improbable que Healfdene el eskildingo, quien parece haber llevado el nombre en ese sentido y de forma aislada, y no como apodo, lo adquiriera por ese motivo. Es probable que existiera antes de su tiempo como nombre y apellido en su familia, pero no hay ni rastro de su existencia fuera de la expresión «hæleð Healfdene Hnæf Scyldinga» (*B.* 1069). Por tanto, no forzaríamos las probabilidades si concluyéramos que el nombre del eskildingo estaba relacionado con el del pueblo o la familia de Hnæf. Sí estaríamos forzando las probabilidades si rechazáramos esta conclusión, que no solo tiene el apoyo de su argumento etimológico, sino que también explica a la vez la razón por la que se seleccionó el relato de Hnæf para que se contara en la corte del hijo de Healfdene[18] como la política de Finn.

17. [Förstemann, *Namenbuch*, 596].

18. Esto nos da también, de casualidad, la razón por la que se alude justo antes a Hrothgar, ya mayor, con la extraña expresión «Healfdenes hildewisan»; o, si lo leemos como -*wisum*, por qué se hace una referencia tan inesperada a la corte de Heorot con el nombre de Healfdene. Lo que

Es probable, por tanto, que *Healfdene* no fuera estrictamente un nombre «tribal», sino un apellido de Hnæf, o de
Hoc, o bien de ambos, que se refiriera a los antepasados (y,
solo de forma indirecta, al tipo de súbditos que controlaban)
de uno de ellos. De ahí que pueda extenderse sin duda a su
familia y *comitatus*, que representaría, según la convención
aristocrática de la poesía heroica, igual que *eskildingos* para los
daneses, a su pueblo; pero en realidad apenas disponemos de
pruebas de si se extendía con más o menos frecuencia. A aquellas personas que defendieron a Hnæf con tanta valentía no se
las vuelve a llamar *Healfdene* una vez se ha apuntado la conexión entre Heorot y Hnæf. Son daneses o jutos (diré por anti-
ciparme), o tal vez otros, y, solo en este sentido, medio daneses.

Quizás sorprenda que cuando acudimos al *Widsith*, no encontremos la palabra *Healfdenum* para referirse a los súbditos (o
seguidores) de Hnæf, sino *Hocingum*, aunque *Healfdenum* sería
métricamente equivalente incluso hasta en la letra aliterativa, y
a pesar de que la mención inmediata tras Finn y los *Sæ-Dene*
parezca indicar que el compilador era consciente de los vínculos
con Hnæf de todos modos. Quizás nos sorprendería menos si
pensáramos que los hetobardos también tenían, por lo visto,
dos nombres, y que en ese caso solo el *Widsith* incluye el segundo («Wicinga cynn», verso 47, además de «Heaðobeardna
þrym», verso 49), no así el *Beowulf*, a pesar de los cincuenta
versos que dedica a las aventuras de Ingeld. Asimismo, ni en el
célebre pasaje del *Widsith*, ni en ninguna otra parte del documento, se menciona a la persona de Healfdene, ¡ni tampoco el

---

antes parecía un accidente desafortunado de homonimia se convierte entonces en algo deliberado y significativo.

título *eskildingo*! No se nombra al pueblo de Hrothgar. Tanto el autor del *Beowulf* como el del *Widsith* nos contaron todo lo que sabían. Con todo, la ausencia de *Healfdenum* y el uso de *Hocingum* en el *Widsith* sigue siendo algo inusual, si *Healfdene* es en verdad el nombre de un «pueblo». ¿Por qué sustituir un patronímico,[19] que podría referirse solo a la familia de Hnæf o, como máximo, a su hogar, si era el rey de una «tribu» real? Podría sugerirse una respuesta doble: (a) *Healfdene* era en origen un «apellido» (de Hoc o Hnæf), que se refería sobre todo a la «estirpe mezclada» de quien lo llevaba (aunque esto también podría haber estado relacionado con una situación política revuelta); (b) Hnæf (y Hoc) no eran los reyes o caudillos de una «tribu» natural o geográfica, sino líderes menores, ramas subordinadas del creciente poder danés en regiones que no fueran originalmente escandinavas. Como tal, a Hnæf se lo recuerda sobre todo como señor de un «séquito» (*Hocingas*),[20]

---

19. Creo que podríamos asumir que *Hocingum* es un patronímico, pero no, obviamente, con total seguridad, a pesar del «Hoces dohtor» (1076). *Hoc* es un nombre genuino que aparece en la Inglaterra del siglo VII, así como en topónimos; pero la investigación de *Scyld* y *Scylding* nos advierte que ese tipo de nombres de «familia» pueden, en el proceso de las tradiciones legendarias, generar un ancestro epónimo. Por tanto, se presupone que *Wælsing* generó «Wælses eafera» (*B.* 897), y el hecho de que en origen no fuera un patronímico genuino se revela en los usos de *Völsungr* y *Welisune* como nombres de individuos. En Hnæf (a continuación, p. 86), veremos el mismo uso de *Hocing* (*Huuochingus*) como nombres, no como patronímico.

20. La naturaleza patronímica de este nombre, si lo asumimos como tal, es todavía más extraña, y refuerza la idea de que no se consideraba ante todo a Hnæf como un caudillo territorial. Es el único nombre, de entre todos los nombres con *ing* del *Widsith* (*Baningum, Hælsingum, Myrgingum,*

y de ahí que fuera el mismo que contaba con un séquito mezclado, como en efecto parece que sucedió.[21] Si el *Beowulf* es culpable de alguna «innovación», podría deducirse que consiste en haber tomado el nombre *Healfdene* (que pertenece a Hoc o quizás incluso al mismo Hnæf) y haberlo tratado como el equivalente de *Hocingas*. Pero este desarrollo podría ser más antiguo que el *Beowulf*, facilitaría el proceso el evidente personaje «nacional» del segundo elemento y el hecho de que en un período muy temprano del IA su forma podía ser tanto singular como plural. Tal vez no tengamos necesidad de corregir el *Healfdena* del verso 1069 a *Healfdene*[22] —no podemos estar seguros de que el nombre era el de Hnæf, y no el de Hoc,

---

Hundingum, Rondingum, Brandingum, Wulfingum, Woingum, Þyringum, Wicinga y *Wicingum*) del que podemos asumir una naturaleza «patronímica» con una cierta seguridad. Aquellos que no son confusos, o en los que se ha añadido el *-ing* a elementos que ya eran «tribales» (*Þyringum*), probablemente pertenecen al tipo emblemático o «heráldico» (*Rindingum, Wulfingum*). Es cierto, sin embargo, que la distinción entre los tipos «heráldico» y «patronímico» es a menudo difícil de delimitar, no solo en la realidad, por el uso de nombres reales como *Brand* o *Helm*, sino también en la leyenda, debido a la generación de epónimos como *Scyld*, como resultado en parte de las tendencias dinásticas personales y aristocráticas de las tradiciones heroicas, en parte por la facilidad con que palabras como *Wulf* o *Helm* funcionaban como nombres reales y como «emblemas». Cf. *Helmingas* en el *Beowulf* (620) y *Helm* de los *Wulfingas* en el *Widsith* (29).

21.   Si Ordlaf/Oslaf y Guthlaf (y Hunlaf) eran daneses (véase a continuación, pp. 125-130), los otros personajes de los que se nos habla claramente no lo eran. Por fortuna, Sigeferth así nos lo cuenta, pero creo que no puede haber demasiada duda sobre que Hengest tampoco lo era, y que representaba un tercer elemento.

22.   [Más adelante, Tolkien recomienda esa corrección; véase p. 149].

como ello implicaría—, y aunque podría parecer que el genitivo plural tal vez oscurezca en cierto modo el significado original del nombre, tampoco deberíamos dudar de que la conexión semántica con Healfdene el eskildingo era al menos totalmente reconocible cuando se escribió el *Beowulf.* No solo lo deja patente la expresión «Healfdenes hildewisan» anterior, sino también la conjunción inmediata del título *Scyldinga* en el mismo verso.

A la vista de esto, es una explicación bastante pobre, incluso por parte de aquellos que creen que existe un pueblo llamado *Healfdene*, que *Scyldingas* es un elemento «épico», una simple variante poética de *Dene*, por mucho que se repita de nuevo en (*Here-*)*Scyldinga* (1108, 1154), y que, pese a todo, el pueblo de Hnæf, más o menos daneses en la realidad o una simple «innovación beowulfiana», no estaban relacionados con los señores daneses principales, que después llaman *Scyldingas*. Una cosa es atribuir el nombre de *Scyldingas* a los daneses de tiempos de Heremod (*B.* 1710), sin duda idénticos a los que más tarde liderarían Healfdene y sus descendientes, los *Scyldingas*,[23] cuyo ascenso parece sucederse al final de una vieja dinastía en una lucha fratricida y un interregno en el que los daneses eran la presa de diversas facciones, *aldorlease* (*B.* 15). Otra muy distinta es aplicarlo a una tribu o grupo marcado por el nombre (según esta suposición) como distinto, y que

---

23. Dado que *Scyld* es sin duda un epónimo, que más tarde ocupará un hueco, no es ni mucho menos seguro que *Scyldingas* como nombre heráldico de los reyes daneses no sea más antiguo que Healfdene, o, de hecho, heredado por la nueva estirpe de las anteriores, tal como suele ocurrir con las demandas y títulos reales.

damos por sentado según la suposición del uso «épico» que no están relacionados salvo por una indefinida «danesidad».[24]

La cuestión se ha debatido largo y tendido, porque es esencial para cualquier teoría del relato que tenga en cuenta toda la relevancia de las palabras y nombres que conservamos al tratar de dilucidar las relaciones de Hnæf, Finn y Hengest.

Aunque no sea más que una hipótesis, es razonable pensar que *Healfdene* fue originalmente no el nombre de un grupo o tribu, sino un apellido personal, y que si, en efecto, llegó a utilizarse como nombre familiar (antes o fuera del *Beowulf*),

---

24. Haga referencia a Hnæf o Hoc, o incluso a un miembro anterior de la familia, que podamos aplicar el apellido *Healfdene* en el primer caso depende de muchos factores, y huelga decir que no puede tomarse una decisión; afortunadamente, la decisión no tiene demasiada importancia para una teoría del relato, dado que el hecho fundamental, que es el vínculo de los eskildingos y Hnæf, se mantiene. Depende de nuestra opinión sobre la genuinidad de Hoc (¿personaje o epónimo?), de la autoridad del *Beowulf* (¿podemos corregir a *Healfdene* 1069 y la expresión que da como resultado es probable? En caso contrario, por supuesto, el apellido es más antiguo que Hnæf) y de la cronología, que no puede definirse a ciencia cierta, sobre todo el problema de las edades relativas de Hnæf y Healfdene. Esto depende en la identificación de Hengest y en algunos puntos textuales como la referencia de *hyssa* (Fragmento, verso 48). Si Hengest es juto y el mismo que invadió Britania, entonces la historia debe pertenecer a un período anterior a la aventura, y sin duda insinuaría sus razones; y Hengest y Hnæf serían ambos hombres jóvenes, o al menos en el momento de la «matanza frisona», que en ese caso debió producirse en la primera mitad del siglo v. La fecha de nacimiento de Healfdene que se calcula es aproximadamente entre los años 430 y 435 d. C. (véase el Apéndice B: La datación de Healfdene y Hengest). Esto encaja bastante bien con la relación propuesta entre Hnæf y Healfdene (a continuación, pp. 72-75).

hablaríamos de una evolución posterior, el principio de un ocultamiento de los hechos originales. Este Healfdene era el nombre de alguien de la familia de Hnæf; entre las distintas posibilidades, podemos seleccionar como la más probable que se trataba del nombre de Hoc. Por tanto, Hnæf era en propiamente Hnæf hijo de Hoc Healfdene. Desde esta familia, donde solo se registra en las tradiciones heroicas que nos han sobrevivido, sin contar con las de Healfdene el eskildingo, llegó a los eskildingos —que hacían aliteración en la *h* (incluso con su salón y ciudad), como los *Hocingas*—, probablemente por vínculos de sangre o matrimonio.

Es evidente que el padre real de Healfdene cayó en el olvido, lo que en términos legendarios es como decir que no era rey, o que no formaba parte de la rama principal de ninguna casa o héroe antiguos. Representaba un nuevo comienzo —aunque en la historia y la leyenda esto lo facilita el matrimonio— y luego, cuando su fama y la de sus descendientes se convirtieron en tradición, se lo vinculó con dinastías anteriores, o bien se le atribuyó un linaje extraño y mítico. Uno de los procesos refleja que sí adquirió el poder principal de los daneses, otro que se encontraba ante él con un vacío inusual, y durante su ascenso y los tiempos en que se produjo algo inusual y extraño. Si Hoc y Hnæf «de los semidaneses» representan la expansión de los daneses hacia los territorios vecinos no daneses, y su historia es producto de los desplazamientos y las disputas, el ascenso de Healfdene marca el cambio del centro del poder danés desde la «Suecia» meridional hasta la discutible península e islas, el incremento de la importancia de esos casos atípicos, y la obtención de una señoría general de un hombre, digamos, de un origen como poco parcialmente «colonial». Su

abuelo materno, pues esa es la explicación más simple, llevaba
el Healfdene como nombre o apellido significativo, y si tenemos en cuenta la importancia de la aparición aislada de ese
extraño nombre en el verso 1069 de *B.*, lo más probable es
identificarlo con Hoc. La conservación del nombre del padre
de la madera tiene muchos paralelismos, sobre todo en el nórdico tardío, y también pueden encontrarse paralelismos en la
conservación de un «apodo» en la generación siguiente.[25] En
este caso, Healfdene el eskildingo se habría encontrado en la
relación especialmente íntima de ser el «hijo de la hermana» de
Hnæf Hocing, y también de Hildeburh y Finn.

25. Por ejemplo: Sigurðr ormr-í-auga era, al menos en la leyenda, hijo
de Áslaug, hija de Sigurðr Fáfnisbani. Eiríkr blóðøx también llevaba el
nombre del padre (Eiríkr rey de Jutlandia) de su madre Ragnhild, una de
las mujeres de Haraldr hárfagri. Los ejemplos de esto son numerosos. Un
caso especialmente bueno nos lo ofrece la genealogía de Grettir el Fuerte,
cuyo nombre era en origen un apodo que encontramos dos veces entre la
estirpe de su padre. Podemos observar que Ófeigr grettir (yngri) lo obtuvo
de su abuelo materno, Ófeigr grettir (ellri). (Cf. también en otras sagas
Ketill hœing; y Blundketill nieto de Ketill blundr).

Genealogía de Grettir

Ásný = Ófeigr grettir   Ófeigr burlufótr   Þorgrímr frá Gnúpi
┌─────────┴─────────┐
Ásmundr skegglauss   Æsa = Önundr tréfótr = Þórdís   ***** = Ásmundr undan
                          │   │   Ásmundargnúpi
              Ófeigr grettir   Þorgrímr hærukollr = Þórdís
                                            │
                              Ásmundr hærunlangr
                                            │
                                        Grettir

Estos apodos sin duda sustituían a los nombres genuinos en el día a
día, de ahí su evolución hasta convertirse en nombres de pila. Por ello la
tumba de Önundr se llamó, y se llama todavía hoy, *Tréfótshaugr*.

Un recuerdo de dicha relación, o, de hecho, de cualquier lazo de sangre similar, bastaría para explicar la aplicación de *Scyldinga* a Hnæf. Al menos está estrechamente relacionado con la familia, por mucho que no fuera uno de sus miembros originales, aunque, a pesar de todo, bien podría haberlo sido.[26]

En lo que respecta a la posición geográfica del pueblo y «reino» de Hnæf (incluso un rey errante tendría alguna suerte de base), podría decirse, anticipándonos y para culminar un extenso relato, que incluso si no hubiera mención alguna de «Eotena treowe» ni de Hengest, el lugar más probable sería Jutlandia,[27] la primera región que sintió los efectos de la expansión escandinava. Allí representan una intrusión temprana del poder y la influencia danesas (además de, sin duda, los daneses) en una zona en origen distinta, peculiar, no «escandinava». Su historia va de la mano de las pugnas y desplazamientos de los jutos.

*Finn 1068, 1081, 1096, 1128, 1146, 1152, 1156 («Finnes ham»). Solo el número de referencias basta para indicar su importancia. El nombre aparece también en el Fragmento, en el verso 36 (*Finnsburuh*) y en el verso 27 del *Widsith* (como rey de los frisones). Véanse pp. 33, 40, 62.

En el *Widsith*, se le otorga el patronímico *Folcwalding*, y en el verso 1089 del *B.* se alude a él como «Folcwaldan sunu».

---

26. Es posible que su familia fuera una rama de una vieja estirpe danesa. Véase p. 72, nota al pie 24.

27. Jutlandia siguió siendo un territorio diferente y peculiar tras la escandinavización. En épocas tempranas, debió de ser un poder vecino (hostil). Vemos algunos atisbos al respecto en la historia de Heremod. Sobre la lealtad posterior a los eskildingos en esas zonas, cf. Wulfgar «Wendla leod» en la corte de Hrothgar (*B.* 348), que es más probable que provenga de Vendsyssel que de Suecia.

Ahora encontramos con frecuencia el nombre de Finn en otro tipo de fuentes: las genealogías reales en IA.[28] Aquí podemos ignorar variantes ortográficas y corrupciones, y simplificar los contenidos de los documentos. Todas las genealogías alcanzan un nivel con *Woden*. Por encima de ella, hay un grupo que vuelve a conducir hacia nombres míticos de Woden *Geat* y *Geata*. En su forma más simple, hablamos de la serie «Woden — Frealaf — Finn — God(w)ulf — Geat».[29] Esto aparece en MSS, B, C y D de la *Crónica anglosajona*, año 855, y en el *Textus Roffensis* II; y también en islandés (partiendo de fuentes en IA) con algunas ortografías escandinavizantes, por ejemplo en *Langfeðgatal*, en el Prólogo de la *Snorra Edda*, y en *Flateyjarbók*. No nos interesan demasiado las elaboraciones de estas series más simples donde con frecuencia aparece un *Friþu(wu)lf* entre *Finn* y *Frealaf* (Genealogía de los reyes de Lindsey, siglo IX, MS Vespasian B vi; Genealogía de los reyes de Northumbria en la *Crónica anglosajona*, año 547, en MSS Tiberius A vi y B i); o un *Friþuwald* entre *Woden* y *Frealaf* (Guillermo de Malmesbury); o cuando aparecen ambos (*Crónica anglosajona*, Parker MS, año 855, Genealogía sajona occidental; *Vida del rey Alfredo* de Asser; Ethelwerd; *Textus Roffensis* I). No se sabe nada de estos añadidos, y probablemente no sean más que multiplicaciones de niveles introducidos

28. Chambers, *Introduction*, 199-200, 202-3; Klaeber, *Beowulf*, 254-6 [No doy más referencias sobre las versiones impresas en estos dos libros.]

29. «[...] qui fuit, ut aiunt, filius dei (Nennio); «þene þa hæðene wu(r)þedon for god» (*Textus Roffensis* I). Los niveles que hay por encima de Geat y que aparecen en algunas fuentes no nos conciernen directamente, pero tratan el problema de Beaw, Sceaf y Scyld.

por los genealogistas, como la duplicación de Finn en *Finn — Frenn* en *Nennius Interpretatus* a partir de *Finn* y una corrupción de *Finn* en otra versión (*Finn* aparece como *Fran* en el manuscrito de Chartres de la más antigua *Historia Brittonum* de Nennio).

Ahora bien: no solo las incorporaciones de Woden y Geat, sino también las más tardías de Heremod[30] y Scyld, bastan para demostrar que los personajes míticos y las personas de las historias nórdicas y danesas podían añadirse a esas genealogías. Por tanto, no hay nada imposible en la creencia de que el *Finn* de las genealogías es en verdad el rey frisón de nuestra historia, bien porque es en origen mítico y un intruso tanto en las genealogías como en el relato, bien porque en origen era un rey famoso en la historia y convincente como ancestro.

En este punto, centrémonos en la Genealogía tal como la encontramos en la *Historia Brittonum* de Nennio. Dejando a un lado corrupciones, la serie es la siguiente: «Woden — Frealaf — Fredulf — Finn — Folcwald — Geta, qui fuit, ut aiunt, filius dei». Salta a la vista que es la misma serie que acabamos de estudiar, pero con la destacada modificación de que tenemos a *Folcwald* como padre de *Finn*, no a *Godulf*. Esto, a simple vista, confirma la identidad de *Finn* con el Finn de nuestra historia (y creo que esa es la visión correcta). *Godulf*, sin embargo, requiere una explicación. Existen dos explicaciones en estos momentos: (i) que Finn Godulfing es un personaje mítico (más apropiado en una genealogía entre Woden y Geat) y que en Nennio, debido a una confusión, se ha sustituido al Finn Folcwalding histórico; (ii) que *Godulf* era el nombre real

30. Véanse pp. 90-100.

del padre de Finn y *Folcwalda* era su título (y también el de Finn), que, a medida que se iba repitiendo, terminó por suplantar el nombre real. En ese caso, solo lo suplantó en los tres documentos más antiguos y de mayor autoridad, donde se esperaría encontrar un conocimiento especial de Finn: el *Widsith*, Nennio y el *Beowulf*.[31]

Por otro lado, no hay nada, salvo la aparición entre Woden y Geat, que explique la existencia independiente de genealogías de un Finn (Godulfing) «mítico». En efecto, Finn Folcwalding tiene más derecho a ser reconocido como mítico, pues no puede negarse que la expresión «Freyr folkvaldi goða» (*Skírnismál* 3)[32] es sugerente, cuando observamos el elemento *Frea* también en las genealogías en este momento.

Es ciertamente imposible asegurar con precisión qué yace tras la compilación de esta serie; pero yo sugeriría que, en lo que respecta a Finn, es harto probable que el nombre lo llevara un «rey» frisón histórico (en el período al que se refiere nuestra leyenda), mientras que no hay ninguna evidencia real de ese Finn «divino». Por tanto, la explicación más probable es sin duda que Finn es un intruso entre Woden y Geat, un tributo a su fama, en todo caso. Con todo, es factible que hubiera alguna otra razón más allá de la fama, por grande que fuera,

31. Nennio ofrece la genealogía de Hengest. La composición del *Widsith* y el *Beowulf* es más antigua que la de las genealogías, y, en cualquier caso, son las principales autoridades sobre las tradiciones en IA. Que el «Widsith» conocía nuestra historia, y bastante acerca de Finn, parecen demostrarlo las colocaciones de los versos 26 a 31, comparados con los del Episodio y el Fragmento, sobre todo la de Finn y los frisones (27) junto a los jutos (26), sin ninguna compulsión aliterativa.

32. [Jónsson, *Eddukvæði*, i 102.]

que explique su intrusión en ese preciso momento. Tal vez fuera una razón trivial, anodina. Tras haber analizado cómo actúan los compiladores de estos alargados «árboles», sugiero lo siguiente: un nombre de tamaña fama, atribuido a un pueblo tan importante, antiguo y contemporáneo a la vez en el desarrollo temprano de estas genealogías, es probable que no se recordara sin vincularle al menos el nombre de un padre y el nombre de un hijo (e incluso un nieto). Ahora bien: es posible que los nombres de sus descendientes fueran similares a algún otro nombre mítico que ya estuviera presente entre Woden y Geat, o que al menos generara aliteración con él, mientras que el padre del nombre se vinculara convenientemente mediante aliteración con Geat.[33]

33. También pudieron contribuir las asociaciones estrechas en las mentes de frisones y jutos. Eso lo vemos en el *Widsith* (véase p. 78, nota al pie 31), y también en otros sitios. Véase el extracto del «Chronicle Roll» en Chambers, *Introduction*, 201 y 204, donde tenemos (a) como hijos de *Boerinus* (una corrupción de *Beowinus*), de derecha a izquierda, *Geate, Dacus, Suethedus, Fresus, Gethius*, etc.; y (b) en una nota al margen *Saxones, Angli, Iuthi, Daci, Norwagences, Gothi, Wandali, Geathi et Fresi*. Esta es, sin duda, una compilación tardía (reinado de Enrique VI), pero debía basarse en un documento anterior, ya perdido. La confusión en inglés entre *Jute* y *Geat*, ambos antiguos enemigos de los daneses (*Daci, Dani*), debió de comenzar, de una forma bastante distinta a la de su enfoque fonológico formal, en cuanto el conocimiento de los reyes escandinavos se volvió algo remoto en el tiempo y el espacio, y, como mínimo, en cuanto intentaron poner sobre papel las tradiciones inglesas (como pronto, en el siglo VII).

La intrusión de nombres de leyendas tal vez la ilustren *Freawine* y su hijo *Wig* en las genealogías de Cerdic (*Crónica*, año 552) y Æthelwulf (año 855). También vemos la contaminación en *Freawine*, pues en el manuscrito

De hecho, lo que se sugiere es que tenemos una prolongación de una serie mítica «Woden — Frea — (Frealaf) — Geat»,[34] por la intrusión de un histórico «Frealaf (Friþulaf) — Friþuwulf — Finn — Godwulf folcwalda». Frealaf —si su nombre no representa una simple contaminación con la serie mítica, en lugar de (y lo cual es más probable) el punto de contacto con ella— es el más seguro, pues aparece con esta forma en todas las versiones;[35] pero no podemos obviar Frithuwulf, a pesar de que esté ausente en algunas de las versiones de la genealogía sajona occidental (*Crónica* 855), las derivaciones islandesas y Guillermo de Malmesbury. Aparece en el resto de las versiones, y aunque tal vez se trate de una elaboración a partir de *Frealaf/Friþulaf* + *Godulf*, es improbable a la vista de su aparición en Nennio (¡sin *Godulf!*), una fuente muy importante. Es más posible que sea el responsable de las variantes *Freoþolaf* y *Friðleif* a que se inventara a partir de ellas, aunque

---

Parker tenemos en la genealogía de Æthelwulf (año 855) «Friþuwald Freawining» [sic], «Frealaf Friþuwulfing», con *Freawine* en un nivel inferior.

34. Las genealogías que terminan con «Woden — Frealaf» como nivel superior parecen demostrar que en un momento temprano había un nivel por encima de *Woden*, que contenía el elemento *Frea*, o tal vez la forma *Frealaf*: por ejemplo, la primera y segunda genealogía northumbriana, la primera merciana, la kéntica y la de Anglia Oriental que encontramos en MS Vespasian B vi [Sweet, *OET*, 169-71], aunque no es concluyente, pues este manuscrito solo contiene los niveles de *Frealaf* a *Geat* en la genealogía de Lindsey.

35. Salvo en «Frílaf, er vér köllum Friðleif» (*Edda*) y «Freoþelaf Freoþulfing» (*Crónica*, año 547), una contaminación de dos grados. Cf. el *Friðleif* en el *Skáldskaparmál* (*Ch.* 40), donde la serie es «Óðinn — Skjöldr — Friðleifr — Friðfróði». Véase también p. 91.

esto sea el resultado de la contaminación de *Frealaf* a partir de Woden y *Friþulaf* a partir de Frithuwulf y Finn.

Huelga decir que no hay nada que demuestre que toda la progenie de Finn pereció en el *Freswæl* y la venganza danesa. Ingeld sobrevivió a la caída de Froda. Es posible que Finn tuviera dos hijos, uno de los cuales, aunque no fuera más que una criatura cuando huyó del saqueo de *Finnes ham*, pudo haber continuado la estirpe; pero tampoco es improbable que Finn tuviera dos hijos recordados por la tradición (uno célebre por haber perecido en la tragedia del *Freswæl*, el otro por haber continuado con el linaje ya adulto), que luego se ordenaran en series, a la manera de las genealogías, y se convirtieran genealógicamente en hijo y nieto de Finn.[36]

En ese caso, deberíamos seleccionar a Frithuwulf como el hijo mayor que cayó y fue incinerado en la pira de Hnæf, porque siempre se lo menciona junto a Finn, y porque aparece en Nennio, que claramente parte de fuentes que recuerdan nuestro relato, dado que allí la serie es «Hengest […] (tres niveles) […] Woden — Frealaf — Fredulf — Finn — Folcwald».

Frealaf cuenta con un nombre tan bueno para el superviviente de la caída de un gran rey que casi podríamos sospechar que fue por eso por lo que debió de llevarlo alguien o inventarlo, ya fuera en realidad o en la leyenda. Este nombre y su posición lo destacan (si es genuino) como el que continuó el linaje de Finn. Tal vez por esa razón (como una etapa en la

36. Véase p. 79, nota al pie 33. Lo ilustra Wig, hijo de Freawine, puesto que ambos nombres parecen provenir de la historia de Offa, en la que no son padre e hijo, sino contemporáneos (y enemigos).

historia dinástica) está presente en todas las versiones, incluso en aquellas que omiten a Frithuwulf (con solo una historia trágica a su nombre); aunque la omisión de Frithuwulf podría deberse en todos los casos, y sin duda en Guillermo de Malmesbury, a una simplificación accidental (entre tantos nombres comenzados por *Fr-*) o premeditada. El proceso de omisión también lo encontramos en la compilación de genealogías, reales o ficticias, a pesar de la intención general por prolongarlas. Podemos ignorar a Frithuwald.

Es evidente que la cuestión sobre el nombre del padre de Finn también es un misterio. Antes hemos asumido que se trata de «Godwulf folcwalda» por las razones siguientes: (i) si se relacionaba tradicionalmente con Finn, habría sido la aliteración con *Geat* lo que habría favorecido la intrusión. (ii) *Folcwalda* es en sí mismo más un título que un nombre (aunque esto no es concluyente), y sobre todo en referencia a los señores de Frisia (quizás líderes de una confederación marítima distinta en muchos sentidos a los pequeños «reyes» de dominios territoriales reducidos) nos sugiere un título que pertenece al padre, o a los antepasados, de Finn. Ya hemos analizado, en el nombre *Healfdene*, el desarrollo de un título o apodo hasta convertirse en un nombre real. Tampoco es imposible la expulsión de un nombre (*Godwulf*) por un apellido (*Folcwalda*) en tradiciones bien informadas sobre las personas. (iii) No hay nada que demuestre que *Godulf* es «mítico» y pertenezca a la serie Woden-Geat, ni tampoco a Finn; o a un Finn mítico del que no tenemos prueba alguna, ni a un frisón. Sin duda, el primer elemento es *God*, pero esto es muy frecuente en los nombres germánicos, entre los que aparece precisamente *Godulf*, más allá de nuestro relato. Lo más probable es lo que Chambers nos sugiere:[37] que *Folcwalda* deriva de la «poesía épica», donde una palabra con una aliteración tan conveniente destacaría de forma natural, incluso en épocas tempranas en que aún recordaran a Godwulf.

De todas formas, este estudio sobre las genealogías no nos ayuda a avanzar demasiado acerca de la historia del *Freswæl*; pero podría excusarse por el interés que genera sobre Finn el debate del problema. No conservamos tan poco sobre los héroes de las antiguas tradiciones inglesas como para no intentar, por agotador que sea el proceso e inconcluyentes los resultados, reconstruir todos los retazos. Al menos al identificar a Finn Folcwalding con Finn Godulfing (y a Godulf con Folcwalda) obtenemos unas indicaciones adicionales sobre la importancia del personaje y la historia que le concierne. También creo que merece la pena el esfuerzo de recuperar el nombre del malogrado hijo de Finn y Hildeburh, e incluso hacer algunas suposiciones al respecto.

El punto más importante de las genealogías, y cuya importancia es bastante independiente de la identidad de Finn Godulfing, es la aparición de *Folcwald*[38] en una fuente, y solo una, fuera de los fragmentos heroicos: a saber, la genealogía de *Hors et Hengist* en la *Historia Brittonum* de Nennio, que por lo general se considera un elemento temprano en ese curioso documento, fechado a finales del siglo VII o cerca del año 700; pero esto afecta más bien a la identidad de Hengest y los *Eote*; véase más abajo, p. 110.

---

37. Chambers, *Introduction*, 200.

38. Inconfundible, a pesar de las corrupciones *Fodepald* y *Folcpald*, además de *Folcvald* (en la posterior *Nennius Interpretatus*).

Hay una cuestión sobre Finn que debemos reservar para el comentario detallado del texto: «Finnes eaferum» 1069. Lo que ya hemos descubierto (de manera bastante independiente a esta discutida expresión) a partir de los genealogistas podría, sin embargo, resultarnos útil en algún momento también para esa cuestión.

*Hnæf 1069. Cf. Fragmento (p. 61). Hnæf es un príncipe o rey (al menos con fines legendarios), tal como demuestra su inclusión en el *Widsith*. Sobre la naturaleza de su reino, súbditos y la importancia del *B.* 1069, donde se lo llama «heroe of the Halfdanes, Hnæf of the Scyldings», véase *Healfdene* más arriba. Poco podemos saber con certeza sobre él a partir del Fragmento, salvo (véase p. 61) que es el líder de los defensores, a quien los guerreros deben lealtad. Es una conjetura probable que *heapogeong* (Hickes: *hearogeong*) *cyning* en el Fragmento (verso 2) se refiera a él, y es posible (aunque más incierto) que sea uno de los *hyssas* («hwæþer þæra hyssa») a los que se hace referencia en el verso 48. Ninguna de estas palabras es definitiva en referencia a la edad, aunque en el escueto lenguaje del lay esperaríamos que *heapogeong* tuviera algún significado especial, más allá de que participó en la batalla y aún no estaba senil. *Hyse* remite a *puer*, y puede utilizarse con un muchacho que todavía no ha alcanzado la edad adulta o la edad necesaria para ir a la guerra («hyse unweaxen», *La batalla de Maldon* 152). Esto es, por descontado, imposible con Hnæf, pero que la palabra podría utilizarse en verso con más vaguedad, para hombres adultos, lo vemos claramente en otras apariciones de *La batalla de Maldon*; y en el *Beowulf* 1217, donde Wealhtheow aplica *hyse* a Beowulf en el mismo banquete donde se cantó la gesta de Finn. Incluso aunque consideráramos al hijo de Finn poco más que un crío en el momento de su muerte, Hnæf (y Hengest) debía tener una cierta edad para permitir que se hablara de él tan oportunamente como en los versos 39 y 40 del Fragmento; y que el otro haya adquirido la importancia que sin duda tiene tanto en el Fragmento como en el Episodio, y para ser un *wrecca* (*B*. 1137). Hnæf debía de ser un líder consolidado, porque, si hubiera muerto joven, cuando su padre Hoc tal vez aún siguiera vivo, difícilmente se lo recordaría como Hnæf, señor de los *Hocingas* (*Widsith* 29).

Pero no hay nada, salvo una asimilación forzada e improbable de esta historia con el *Cantar de los nibelungos* medieval, que refuerce la idea de convertir al hijo de Finn en una criatura. La probabilidad más abrumadora es que muriera en combate, aunque fuera un «hyse unweaxen, cniht on gecampe», igual que «Wulfmær se geonga», que cayó en Maldon.

Los hombres llegaban a la edad adulta pronto (y las mujeres solían casarse jóvenes) en los tiempos heroicos y vikingos. Una diferencia de edad entre Hildeburh y Hnæf en que ella tuviera entre seis y diez años más (algo en absoluto imposible), permitiría, tras haberse casado joven con Finn, que las edades encajaran: Hnæf 25-30, Hildeburh 33 o más, el hijo de Finn unos 15. Véase la p. 120.

El hecho que aquí damos por sentado de que Hnæf era el hermano de Hildeburh es, claro, una deducción del *B*. 1074 («bearnum ond broðrum»), 1114-1117 (donde *earme* claramente debería ser *eame*) y 1076, donde Hildeburh es «Hoces dohtor», mientras que Hnæf lideraba a los *Hocingas* (*Widsith* 29).

Müllenhoff descubrió en la *Gesta Hludowici imperatoris* §2[39] de Thegan de Tréveris un rastro de recuerdos interesante y sugerente sobre el nombre y los antepasados de Hnæf y, por tanto, tal vez también algo sobre su historia. Allí, en la genealogía de Hildegarda, con quien Carlomagno se desposó en el año 771, se dice: «Godefridus dux genuit Huochingum, Huochingus genuit Nebi, Nebi genuit Immam, Imma vero Hiltigardam beatissimam reginam». Hildegarda era del linaje ducal alamán, originario de la Alta Alemania y las costas del lago de Constanza.

Sobre la forma *Huochingus* utilizada como nombre, véase la nota 19 de la página 69. A pesar de que dispongamos del equivalente en IA *Hocing*, no *Hoc* en esta genealogía, la relación de los dos nombres *Nebi* y *Huochingus* como hijo y padre es difícil de ignorar como un mero accidente y sin relación alguna con el relato inglés. Estos tales Nebi y Huoching, abuelo y bisabuelo de Hildegarda, vivieron aproximadamente en el siglo VII.

Es obvio que esto nos da un amplio margen de tiempo para que una historia se desplace desde el mar del Norte, perteneciente al siglo V, hasta la Alta Alemania. Se sabe que los relatos de los germanos del norte viajaron hacia el sur; la historia franca de Siegfrid/Sigurd es la más conocida, pero no fue la única que deambuló, y no podemos confirmar ninguna teoría sobre la relación argumental entre el trágico final del *Cantar de los nibelungos* y nuestro relato. La leyenda que se trata en el *Kudrun* en AAM también provino de los mares Báltico y del Norte.

---

39. Karl Müllenhoff, «Zeugnisse und Excurse zur deutschen Heldensage», *Zeitschrift für deutsches Altertum* xii (1860) 253-386, p. 285.

Entre los personajes de ese poema aparece en efecto *Fruote* de *Tenemark* (Dinamarca), quien está sin duda relacionado con el nombre *Frodal Frothol Fróði* del conflicto hetobardo-danés.

Es probable que el nombre de Hnæf esté relacionado etimológicamente con el NA *hnefi* 'puño', de ahí el IM *neve* y la forma dialectal moderna *neve*, *neive* (y tal vez el apellido *Neave*). El nombre aparece en «Hnæfes scylf», B. C. S. 1307.[40] En alto alemán antiguo encontramos *Hnabi* y *Nebi*: véase más arriba y Förstemann (quien cita el alemán moderno *Näbe*, *Nebe*).[41] *Hnefi* aparece en nórdico antiguo como el nombre de uno de los muchos «reyes del mar», cuyas historias hemos perdido, aunque sus nombres les han proporcionado *kennings* a los escaldos. Se cree que la forma *Hniflungar*, que aparece de cuando en cuando o cuando se busca la aliteración en lugar de *Niflungar*, pertenecía originalmente a Hnefi.[42] En tal caso, y aunque no conservamos ninguna historia nórdica sobre Hnefi, debió de ser una figura importante de las leyendas.

Estas propuestas huidizas e inconcluyentes no bastan para justificar ninguna conexión argumental entre nuestro relato y el del trágico final del *Cantar de los nibelungos*, más allá del elemento común de la defensa heroica de un salón. Tampoco justifican la intrusión de elementos peculiares en la historia de Sigurd, sus elementos antiguos y míticos, como el tesoro de los enanos; ni de la historia de Atila, las muertes de sus hijos de niños.

40. [W. de G. Birch, *Carulatium Saxonicum* (1885-9).]

41. Förstemann, *Namenbuch*, 198.

42. Finnur Jónsson, *Lexicon Poeticum Antiquæ Linguæ Septentrionalis* (Copenhague, 1931) *s. v.*

Scyldinga 1069, 1154; **Here-Scyldinga** 1108. Véase *Healf-dene* más arriba.

Freswæl: en *Freswæle* 1070. Es bastante evidente que este parece ser el nombre tradicional de los acontecimientos a los que se alude, y debería sustituirse por «La batalla de Finnesburg».[43] También se hace referencia a los frisones en el Episodio 1093 («Fresena cyn»), 1104 («Frysna hwylc»), 1126 («Frysland»). Sobre los frisones y sus divisiones, véanse las pp. 31-41.

En el momento de los saqueos gautas —más de setenta años después del *Freswæl*, como poco—, la situación política había cambiado, debido a los asentamientos en Britania, la eliminación o absorción de los jutos y el crecimiento del poder franco. Aquí se relaciona a los frisones con los francos, aunque no está claro si solo se refiere a los frisones occidentales (un pueblo distinto al de Finn y sus descendientes). Las referencias son las siguientes: *Beowulf* 1207, 2912 («Frysum»), 2915 («Fresna land»), 2357 («Freslondum») y, la más interesante, «Frescyning» 2503. La última sugiere que se pensaba en los frisones más como aliados que repelían un saqueo escandinavo con la ayuda franca que como parte del reino franco.

Hildeburh 1071, 1114. También se la llama «Hoces dohtor» 1076, «seo cwen» 1153 y «drihtlice wif» 1158. No hay ni rastro de ella fuera del Episodio. (Su nombre muestra una forma germánica habitual y su uso es frecuente tanto en Inglaterra como en Alemania.) No obstante, es un personaje importante en el relato; de hecho, es probable que su importancia se menosprecie al interpretarlo, pero su posición, influencia y motivos (hasta donde pueden intuirse) deben reservarse para

43. [Véase más arriba, p. 29.]

la posible «reconstrucción» del final. Aquí solo diremos que resulta bastante evidente que es la hermana de Hnæf (véase más arriba), y que sin duda es la esposa de Finn; y que, en cualquier caso, que Finn fuera aliado por razón de matrimonio con una casa con conexiones y lealtades danesas (véase *Healfdene* más arriba) es claramente de una gran importancia para todo el relato.

Eotena gen. pl., 1072, 1088, 1141 (*Eotena bearn*); *Eotenum*, dat. pl., 1145. Este nombre es crucial, más allá de la controvertida cuestión sobre en qué bando luchan los que así se nombran. Esta cuestión debe reservarse para el análisis del texto y la «reconstrucción».

Aquí lo que nos interesa sobre todo es la identificación. No me tiemblan las manos al afirmar de inmediato que el nombre se refiere sin duda a los «jutos». El argumento sobre el que se basa esta conclusión está en esencia ligado a la identificación de Hengest, y además, dado que todos estos problemas están intricadamente entrelazados con las tradiciones relacionadas con la historia danesa temprana, también con la identificación de Heremod y la explicación de las vagas alusiones en los versos 898-915 y 1709-1722 del *Beowulf*. Trataremos primero con el último, pues, aunque parezca una digresión, resulta esencial. Debemos decidir la cuestión de los «eotenos» por cualquier medio de que dispongamos; pero si podemos demostrar que *Eotenum* significa, aunque solo sea un significado probable, «jutos» en el verso 902 del *Beowulf*, nos acercaremos a las formas del Episodio de Finn bien armados.[44]

44. Si no se puede demostrar, y ni siquiera convenir un posible significado de 'gigantes, criaturas demoníacas', quedará de todos modos abierta

En el *Beowulf*, Heremod es un rey danés que pertenecía al
pasado remoto, del que se pensaba junto con Sigmund pero se
concebía como predecesor (versos 901-2). Por tanto, el autor
del *Beowulf* ya debía de considerarlo de un período anterior
al de la casa de los Healfdene, dado que sirve para que el hijo
de Healfdene, Hrothgar, lo use como ejemplo aleccionador al
aconsejar a Beowulf. Es indudable que, para el autor del
Beowulf, debió de pertenecer o bien a un período posterior al
interregno (verso 15) que precedió a la llegada de Scyld Sce-
fing (dado que no hay ningún espacio de tiempo entre Scyld y
Hrothgar), o a una rama secundaria de los daneses.[45] El hecho
de que se haga referencia a su nacionalidad danesa llamando a
su reino «eþel Scyldinga» (913) y a sus súbditos «Ar-Scyldin-
gum» (1710), además de «Deniga leodum» (1712) y «Denum»
(1720), suele atribuirse a un uso «épico» ligeramente anacró-
nico de *Scyldingas*, que había llegado a utilizarse con tanta frecuencia como equivalente de «daneses» que bien podría
haberse usado sin cuidado en cualquier período o rama. Aunque hemos criticado esta asunción del uso «épico» en el caso
de Hnæf (p. 71), aquí es prácticamente indudable que el uso
es inapropiado. Desde el punto de vista del autor del *Beowulf*
y sus contemporáneos, podría defenderse si los verdaderos

---

la cuestión en el Episodio, pues es indudable que *eotenum* puede ser el
dativo plural de *eoten* 'gigante', aunque en realidad en inglés antiguo solo
aparezca en el *Beowulf*, en «eoten» (n. sg.) 761 = Grendel, «eotenas» (n. pl.)
112, «eotena cyn» 421, y con toda probabilidad en «eotena cynnes» (enemigos de Sigemund) 883; también en los derivados «eotenisc», «eotonisc»
(de espadas) 1558, 2616, 2979, «eotonweard» 668.

45. En este caso, no sería extraño que Hnæf perteneciera también a
una rama secundaria y aun así se lo llamara *Scylding*.

Scyldingas gobernaban de hecho el mismo reino y los mismos súbditos que la rama antigua; en este caso, el uso sería mucho más inteligible que su falsa aplicación a una rama distinta y más o menos contemporánea (los *Hocingas*): véase p. 70.

Esa podría haber sido la explicación que el autor del *Beowulf* habría ofrecido de haberle insistido, pero eso no significa que sea la explicación real. *Scyld/Skjöldr* es claramente un epónimo derivado de un nombre familiar de tipo «heráldico»: *Scyldingas/Sköldungar*. Este nombre familiar o título correspondía sin duda a la casa de Healfdene, pero no se ha esclarecido ni probado que fueran los primeros en llevarlo en la historia danesa; y es igualmente probable que lo heredaran o adaptaran junto con el poder y la posición que obtuvieron, cuando las ramas reales invadieron Inglaterra. La verdadera explicación del uso del nombre por parte de las personas que pertenecían o estaban relacionadas con las familias reales danesas podría ser que, en su origen, ese nombre ya les pertenecía. Scyld como epónimo no tiene ninguna existencia real, ningún lugar en la cronología. Por tanto, debía considerarse o bien el hijo de un dios (Óðinn), una evolución escandinava habitua, o un recién llegado misterioso, como en el exordio del *Beowulf*. Pero, de hecho, la genealogía solo es tan exclusiva en el *Beowulf*, con la línea directa *Scyld — Beowulf — Healfdene — Hroðgar*.

Las tradiciones escandinavas en su forma más simple establecen que Skjöldr es hijo de Óðinn, pero suelen llenar los espacios necesarios entre el Halfdanr histórico y este antepasado ficticio con materiales diversos, a menudo extraídos de la leyenda de los hetobardos, donde se establece toda relación con Halfdanr. Saxo introduce a la fuerza a *Gram*, *Hadingus* y

Frotho I antes que *Haldanus*;[46] Sweyn Aageson, *Frotho*; «Series Runica Regum Daniæ Altera», *Hading*, *Frothe*; «Annales Ryenses», *Gram*; *Skjöldunga Saga* (epítome) introduce muchos capítulos, e incluye a *Herleifus* (cuarto rey, y a sus seis nietos, entre los cuales destacan *Hunleifus*, *Oddleifus* y *Gunnleifus*, que, de hecho, tienen que ver con la historia de Finn) antes de partir desde *Scioldus*, hijo de Odín, hasta *Frodo* y *Halfdanus*.[47]

Pero Skjöldr no siempre se coloca a la cabeza. Saxo ofrece *Dan — Lotherus — Skioldus*. Lo mismo ocurre con los «Annales Ryenses».

Ahora bien: todas las genealogías que incluye a Scyld (*Sceld*, o la forma débil *Sceldwa* y variantes) son compilaciones tardías, posteriores a la escritura del *Beowulf*. En ellas, debe ocupar su lugar en un largo linaje, pero todos coinciden en colocarlo por encima de *Geat(a)*:

«Tætwa – Beaw (Beow) – Sceld(wa) – Heremod – Itermon – Haðra – Hwala – Bedwi(g) (corrupción de *Beowi*[*us*]) – Beowi (solo aparece en MS Cotton Tiberius B iv) – Sceaf».[48]

---

46. [Véase la genealogía correspondiente en Elton, *Saxo*, 414. Las partes relevantes de las fuentes a las que se hace referencia en este párrafo aparecen impresas en Klaeber, *Beowulf*, 261-3.]

47. [Jakob Benediktsoon, *Arngrimi Jonae Opera Latine Conscripta* (*Bibliotheca Arnamagnæana* ix-xii: Copenhague, 1950-57) i 336.] *Skáldskaparmál* ofrece la serie «Óðinn – Skjöldr – Friðleifr – (Frið –) Fróði», y no la relaciona con la familia de Hrólfr [Klaeber, *Beowulf*, 256-7.] Cf. *Langfeðgatal*: «Odin – Skioldr – Friðleifr – Fridefrode», tras la cual intervienen varios niveles que incluye a los hetobardos «Frode F[r]ækni» y a su hijo «Ingialdr» antes de «Halfdan — Helgi oc Hroar» [*ibidem* 262].

48. Se han ignorado corrupciones o variantes ortográficas.

Guillermo de Malmesbury es la única excepción. Es evidente que tuvo acceso a dos fuentes: (i) una más sencilla, que no conservamos, antes de la intrusión repentina de Heremod, y mientras todavía era habitual en Inglaterra considerar «original» a Scyld relacionándolo directamente con el mito cultural Sceaf, y antes de la duplicación de Beaw/Beow que pertenece en verdad a Sceaf, que fue una de las consecuencias de la inserción de Scyld donde no le correspondía, entre dos «espíritus del grano» que no podían separarse; (ii) otra, con una forma corrompida, que incluía a Heremod. De ahí que ofrezca «Getius[49] – Tetius – Beowius – Sceldius – Sceaf». Tras varios comentarios imprescindibles sobre Sceaf (que en realidad eliminan la necesidad de que tenga antepasados), añade que *Sceaf* era «Heremodius – Stermonius – Hadra – Gwala – Bedwigius – Strephius (nacido en el Arca de Noé)».[50]

Con todo, sigue siendo posible que ese *Gwala* conserve una forma más antigua (asimilada en algunos casos a *Haðra*); cf. *Itermod* en Asser, *Herman* en *Textus Roffensis* II. Es tentador ver en este *Wala* la misma persona que en el «eaforum Ecgwelan» (es decir, daneses, o daneses de la casa real) del verso 1710 del *Beowulf*.

Apenas puede dudarse de que si Scyld se gana su sitio entre los «originadores» míticos Sceaf y Beow por su personaje ficticio y epónimo, Heremod se gana su lugar fijo justo encima de

---

49. *-ius* es patronímico.

50. «Bedwigius – Strephius» duplica sin duda «Beow(ius) — Sceaf», pero solo tras una extensa historia textual en la que se requiere un nativo *Beow*(*ing*) > el latín *Beowius* > el nativo falso *Beowi* > el corrupto *Bedwi*(*g*) > el relatinizado *Bedwigius*.

Scyld porque este seguía siendo a pesar de todo danés por tradición cuando se inventaron estos reyes (como sin duda aparece en el *Beowulf*), y porque Heremod también era danés, pero mayor que Healfdene y sus descendientes. Es decir: el Heremod de las genealogías es el mismo que el Heremod del *Beowulf*. La tradición inglesa, al vincular a Scyld de una forma tan estrecha con Healfdene (algo que no era inevitable, y que no siempre está presente en la tradición escandinava), no tenía margen para trabajar con los otros daneses excepto antes de Scyld.

En cualquier caso, ocupa como predecesor inmediato, o «padre» genealógico, de Sceldwa/Scyld en inglés antiguo la misma posición exacta que Lotherus en Saxo y en «Annales Ryenses». Esto, a simple vista, no nos dice nada. Hay un elemento común en ambos nombres.[51] pero eso no prueba nada, y, en todo caso, las prolongaciones de la línea danesa en Saxo son independientes de las compilaciones inglesas, pero Saxo cuenta una historia sobre Lotherus que se asemeja mucho a lo que podemos deducir de la historia de Heremod en el *Beowulf*. Esto, sin duda, basta para levantar sospechas (la misma posición en lo que se refiere a Scyld/Skjöldr, una historia similar), pero no lo suficiente como para demostrar su identidad. Si bien no podemos obtener pruebas, sí podemos considerarlo altamente probable. Necesitamos algún indicio de que *Lother*(*us*) ha desplazado a *Hermóðr*, la forma escandinava del nombre de Heremod. Podemos encontrar los indicios siguientes: Hermóðr ya no se reconoce como un dios danés en nórdico antiguo, sino como hijo de Óðinn (igual que Skjöldr).

---

51. [A saber, el elemento *here*, implícito en el nombre *Lotherus*].

Parece existir una relación mental tenue con Sigmundr (cf. *Hundluljöð*, donde conocemos a un guerrero Hermóðr estrechamente relacionado todavía con Sigmundr, a quien debe el nombre).[52] Esto explicaría la conexión del Hermóðr hijo de Óðinn con el *wrecca* danés cuya fama precedía la del Sigemund mencionado en el *Beowulf* (versos 898-902); pero veremos más adelante (sin duda en una fuente tardía que combina claramente más de una fuente anterior) que a Lotherus se le mezcla también con Balderus y Othinus.

Todas las historias sobre Lotherus acaban con él expulsado o asesinado en una rebelión (noble) por su tiranía, y ese es el punto de contacto principal con la versión vaga del *Beowulf*. Con todo, los indicios siguientes, sin duda tardíos y corrompidos, parecen mostrar que la tradición escandinava contaba con ese relato sobre Hermóðr, antes (a) como «wreccena wide mærost» se convirtió en hijo de Óðinn y se lo apartó de sus desastres humanos, y (b) estos últimos acabaron atribuyéndose a otros nombres, asociados, eso sí, con Dinamarca:[53]

(i) Saxo cuenta unas historias similares relacionadas con Olo (es decir, Áli hinn frœkni, rey danés), un joven dotado y fuerte que más tarde se convertiría en un rey cruel y malvado, hasta que doce *duces* confabularon contra él e indujeron a Starcatherius (es decir, Starkaðr) a matarlo «en la bañera».[54]

---

52. [Jónsson, *Eddukvæði*, ii 487.]
53. [Este análisis se basa en Klaeber, *Beowulf*, 162-3.]
54. [Müller, *Saxo*, 392; Holder, 265; Elton, 319-20.] Áli fue asesinado por Starkaðr tras un largo reinado, en *Ynglingasaga* y *Skjöldungasaga*. [*Ynglingasaga*, capítulo 25 en el *Heimskringla* de Snorri, editado por Bjarni

(ii) Pero en *Nornagestspáttr*[55] (año 1300, aproximadamente) y en *Egilssaga ok Ásmundar*[56] (siglo XIV) es Armóðr quien es
asesinado «en la bañera» por Starkaðr. Parece probable que si
dispusiéramos de fuentes nórdicas tempranas, encontraríamos
el nombre incorrupto de *Hermóðr*.

En la *Scondia Illustrata* de Johannes Messenius,[57] un cronista
de principios del siglo XVII, disponemos de la versión siguiente (en latín): «por eso Lotherus, rey de los daneses, despojado
de su riqueza por su excesiva tiranía y derrotado, huyó a Jutia». Esto es, por descontado, bastante independiente del
Beowulf, que en aquel momento era todavía desconocido.
Messenius combina sin duda fuentes antiguas con distintas
versiones del fin de Lotherus-Heremod, pues en *Scondia Illustrata* Lotherus regresa y vence al rey rival Balderus, pero acaba
muerto a manos de Othinus en una guerra vengativa. El regreso del exilio y la muerte a manos del rival es otra de las características de Heremod; pero el interés principal de esto es la
mezcla de la historia del «tirano fratricida» con la relación con
Óðinn, que en otros lugares aparecen separadas, a pesar de que
esto haga que Lotherus mate a Baldr (!) (y humanicé tanto a

Aðalbjarnarson (*Íslenzk Fornrit* xxvi-xxviii: Reikiavik, 1941-51) i 49; Skjöldungasaga capítulo 9 en Jakob Benediktsson, *Arngrimi Jonae Opera Latine
Conscripta* (*Bibliotheca Arnamagnæana* ix-xii: Copenhague, 1950-7) i 341.]

55. [*Nornagestspáttr* capítulo 8 en Guðni Jónsson, *Fornaldar Sögur
Norðurlanda* (Akureyri, 1954) i 324.]

56. [*Egils saga inhenda ok Ásmundar berserkjabana* capítulo 18, *ibidem*
iii 364.]

57. [*Johannis Messenii Scondia Illustrata* (Estocolmo, 1700); véase
Gregor Sarrazin, «Der Balder-kultus in Lethra», *Anglia* xix (1897) 392-7.]

Baldr como a Óðinn en el proceso) en lugar de a su hermano Humblus (como en Saxo).

Ahora, ¿podemos asimilar los versos 902 a 904 del *Beowulf*, «he mid Eotenum wearð on feonda geweald forð forlacen, snude forsended», con la huida hacia *Jutia* de esta crónica tardía? De momento, le otorgaremos la posibilidad filológica y gramática, que discutiremos más adelante.

En contra de este argumento, claro, tenemos la fecha tardía del *Scondia Illustrata*. Cabe destacar que en los versos 902-4 del *Beowulf* (siempre que hagan referencia a Heremod) se aplican a su período como *wrecca*, mientras aún guardaba esperanzas y no se había convertido del todo en un tirano. Por último, debemos tener en cuenta que los usos de *he* en este pasaje son imprecisos. Aquí no podemos comentar el pasaje de forma detallada, pero a la vista del uso claro en los versos 913-15 (donde *he* y *hine* contrastan y se refieren a personas diferentes), resulta evidente que «he mid Eotenum wearð on feonda geweald [...] forsended» podría referirse a Sigemund, y, en ese caso, lo más probable sería «monstruos», no «jutos», dado que Sigemund y Fitela «hæfdon ealfela eotena cynnes sweordum gesæged» (883-4).

A su favor, podríamos apresurarnos a responder: es posible que aparezcan retazos de tradiciones valiosas en fuentes tardías, y Messenius sin duda parecía usar fuentes mucho más antiguas que las de su época, y algunas que ya ni siquiera están disponibles. La alteración en el momento de la aparición de la naturaleza tiránica de Hermóðr/Lotherus no es un obstáculo importante. Era lo más recordado sobre él en Escandinavia, y empañaba su período de gloria salvo cuando se lo reducía a la persona de Hermóðr, hijo de Óðinn. Por último, la atribución de 903-5 a Sigemund es muy improbable, aunque posible. No sabemos, por supuesto, cuál fue su final en la tradición en IA, pero no se conoce nada que refuerce la idea de que se encontraba «entre los jutos», o que hubiera sido «traicionado en manos del enemigo entre gigantes, y rápidamente enviado a la destrucción»; mientras que si lo aplicas a Heremod, es más razonable. Los enemigos naturales más próximos (como vecinos) de los daneses fueron, sin duda, los jutos por un lado y los *Geatas* por el otro. Para un joven *wrecca*, exiliado por un familiar celoso, Jutlandia era un refugio natural. Por eso Eanmund y Eadgils marchan de Suecia hacia los gautas, y Ecgtheow de los gautas a los daneses, cuando el ambiente en su propia tierra estaba demasiado caldeado. Además, estamos contrastando la prosperidad de Sigemund (y sin duda evitando cualquier mención a un «final») con los pesares de Heremod, y, sin embargo, en este primer pasaje, nos encontramos con sus desafíos como *wrecca*, antes de regresar a Dinamarca.

Podemos traducirlo como: «Lo "traicionaron lejos" (es decir, lo expulsaron por traición) a los reinos de sus enemigos entre los jutos (*feonda* de los daneses y su casa, no de Heremod en concreto), y no tardó en exiliarse».[58] Esto, de hecho, es mucho más razonable que atribuírselo a Sigemund, o traducirlo como si se describiera el «fin» de Heremod, fuera de toda cuestión, en lugar de su exilio («swiðferhþes sið», 908), que las reivindicaciones de los jutos son sólidas, más allá de indicios e

---

58. «Ejecutado» no es una traducción necesaria: cf. «sume [he] on wræcsið forsende» (Sweet, *Orosius*, 114, verso 34). Esta mala colocación del adverbio «mid Eotenum» es como la de los adverbios de tiempo con «ic gefrægn», etc.

identificaciones en fuentes escandinavas. No se sabe con certeza cuál fue el fin real de Heremod, pero en el *Beowulf* no parece que fuera una muerte repentina ni por ningún acto malicioso. Parece haberse dirigido solo a un exilio deshonroso (1714-15) y haber sufrido (como resultado del conflicto que provocó) una larga miseria (1721-2).

Podemos, por tanto, dejar de momento a un lado el problema de la forma. Podemos aproximarnos al Episodio armados con la convicción de que ya nos hemos encontrado a los jutos con la forma *Eotenum* en el verso 902. ¿Habrá algo que nos haga preferir esta identificación en el Episodio, en lugar de los «gigantes» o criaturas semejantes a Grendel?

Sin duda, la atmósfera de la historia de Finn es heroica, «histórica» y política, y entrelazada con la historia de pueblos en guerra, y sobre todo de los daneses y los frisones (sin ápice de duda). No hay ningún pueblo previo que sea más probable que figure en una historia sobre las políticas de daneses y frisones en esa época que los jutos. No hay criatura que parezca más probable que se presente en la historia que los «troles», y solo deberíamos admitirlos a regañadientes y frente a unas pruebas irrefutables. Ya hemos visto que los frisones y los jutos se asocian (junto con los daneses). Véase p. 78, nota al pie 31, y p. 79, nota al pie 33, y sobre todo *Widsith* 26-9, donde sin ninguna compulsión aliterativa tenemos la colocación «Ytum Gefwulf, Finn Folcwalding Fresna cynne, Sigehere lengest Sæ-Denum weold, Hnæf Hocingum», lo cual refleja esa conexión, con un indicio adicional de que, de hecho, tiene nuestra historia en mente. Por último, tenemos a Hengest; sobre los argumentos para considerarlo juto, véase más adelante, pp. 108-113.

En el fondo, no hay nada que refute la teoría de los jutos, salvo la forma *eotenum*. El metro, por desgracia, aquí nos falla. Solo hay un lugar en el metro en IA donde UUU (*ĕotĕnă, ĕotĕnŭm*) no encajaría, ni estaría permitido, y es como la segunda parte de una cesura, precedida por una sílaba larga; pero ninguna de estas formas aparece en esa posición métrica. Todas las apariciones en el Episodio y el pasaje de Heremod se producen donde tanto *ĕotĕnă* como *ēot(e)nă* son igualmente posibles.

¿Cuáles son las formas del sustantivo «juto»? La forma que usamos hoy día es una forma literaria, derivada en última instancia del latín de Beda, quien, escribiendo en la época en que probablemente se compusiera el *Beowulf*, usaba las formas plurales *Iuti, Iutae*: es decir, latinizó el su contemporáneo northumbriano arcaico *Īuti* pl. (como *Seaxe, Engle, Swæfe, Mierce*, etc.) o el singular débil *Īuta*. Estas formas representan el germánico **Iutīz < *Eutīz*, junto a una variante débil **Iutiō*. En inglés antiguo tardío, las formas habrían sido el ánglico *Īote, Īotan* (más tarde, *Ēote, Ēotan*, de ahí el genitivo plural *Ēot(e) na*, que sería la forma más utilizada, y la más habitual en la poesía épica). En el sajón occidental, tendríamos *Ȳte, Ȳtan* (g. pl. *Ȳtena*).

Hay registros de estas formas.[59] Por ejemplo: (i) en la traducción al inglés antiguo de Beda; aunque en un punto concreto los únicos dos manuscritos que nos han sobrevivido utilizan el erróneo *Geata* (una confusión que aquí no nos interesa, salvo por el rastro de su aparición en *Geotena* 'de los gautos' en el *Beowulf* 443 que refuerza la equivalencia entre *Ēotena*

---

59. [El análisis siguiente se basa en Chambers, *Introduction*, 335-7; véase también *Widsith*, 237-8.]

y los jutos), y, en otro punto, cuatro manuscritos dan *Ēota* y uno, el SO *Ȳtena*.[60] (ii) Una traducción distinta de Beda se insertó en una de las primeras copias de la *Crónica anglosajona* que se enviaron a una de las abadías de Northumbria; allí, *Iutis*, *Iutarum* aparecen como *Iutum* (*Iotum*), *Iutna*.[61] (iii) Esta *Crónica* northumbriana regresó a Canterbury; allí (donde mejor podrían haber recordado el nombre «juto») usaron *Iotum* (*Iutum*), *Iutna*.[62] (iv) En el manuscrito C.C.C.C. 41 se ofrece una versión de Beda por parte de un escriba de Wessex que conocía Hampshire; allí, *Ēota* aparece como *Ȳtena*, y *Ēotum* como *Ȳtum*.[63] Hablamos aproximadamente del año 1066. El nombre sobrevivió un tiempo, pues Florece de Worcester (a principios del siglo XII) se refiere a «noua foresta quae lingua Anglorum *Ytene* nuncupatur», y a «in prouincia Iutarum in Noua Foresta».[64] Esto es una referencia a la tierra de los *Ȳtena*, las partes de Hampshire (incluida la isla de Wight) ocupadas originalmente por los jutos. (v) En el *Widsith*, tenemos *Ȳtum*.

Por tanto, no puede negarse que en el *Beowulf*, donde muchas formas no sajonas occidentales (incluso sin tener en cuenta las palabras puramente poéticas como *eafera*, *heaþu-*, entre las cuales podemos reconocer de verdad los antiguos nombres heroicos de personas y pueblos) se conservan inalteradas,

---

60. [Thomas Miller, *The Old English Version of Bede's Ecclesiastical History* (1890-98) i 52, 308.]

61. [MS Laud 636.]

62. [MS C.C.C.C. 173, el «Parker MS».]

63. [Miller, *op. cit.* ii pp. xv, xvi.]

64. [Benjamin Thorpe, *Florentii Wigorniensis Monachi Chronicon* (1848) ii 45, i 276.]

Eotena sería una forma perfectamente natural para el genitivo plural de «jutos».

Pero tenemos *Eotenum* en el verso 1145 (por no mencionar el verso 902).

Un dativo plural en -(*e*)*num* no es, en absoluto, una forma habitual o natural en el *Beowulf* para el nombre de los jutos o cualquier otro sustantivo débil. No es una forma tardía imposible, como demuestran los dativos plurales extraños (de sustantivos débiles) *oxnum*, *nefenum*, *lēonum*, *tānum*. Hablamos de formas tardías creadas por analogía con los genitivos plurales *oxna*, *nefena*, etc., y el manuscrito del *Beowulf* es tardío;[65] ¿pero de verdad debemos demostrar que *eotenum* es un dativo plural posible (tardío) del nombre de los jutos? No forma parte de ninguna teoría, y, en cualquier coso, es altamente improbable, que alguno de los dos escribas que crearon el manuscrito del *Beowulf* que nos ha sobrevivido comprendieran lo que estaban copiando al detalle, o que, de hecho, supieran la mitad que nosotros, o que les importara. Lo que sí es probable es que cuando el escriba A escribió *eotenum*, pensó que debía de tratarse del dativo plural de *ĕoten*, y eso le satisfizo; pero eso no nos interesa: ni el escriba A ni el escriba B tenían demasiada idea sobre los antiguos nombres propios, y bien fuera por ignorancia, o porque representaban la culminación de un proceso de olvido y corrupción, del tipo de palabras que menos podemos fiarnos en el *Beowulf* es de los nombres propios. Nos

---

65. De hecho, hasta donde sé, no encontramos ninguna de esas formas tardías con nombres propios. El proceso lo ilustra, sin embargo, el NA *gotnar*, *gotna*, *gotnum* (además de *gotan*), usado en verso como 'hombre', aunque originalmente significara 'godos'.

vemos en la obligación constante de corregirlos a partir de la información que se desprende del mismo *Beowulf*, del metro o de fuentes externas.

Los nombres que son esenciales para el relato, como *Heardred*, hijo de Hygelac, están mal escritos, en este caso, *hearede* (dativo) 2202; incluso *Grendel* aparece escrito una vez como *gredel* en el verso 591; Finn está oculto y evidentemente irreconocible en «finnel unhlitme» 1128-9. *Hemming*, que aparece dos veces en el pasaje de Offa, no aparece nunca bien escrito; *Unferð*, desafiando la aliteración, aparece a lo largo del texto como *hunferð*. Los suecos aparecen como *swona* ('cisnes', en todo caso) como genitivo plural en lugar de *Swēona* en el verso 2946; mientras que el apodo de los *Geatas*, *Wederas*, está totalmente corrompido en el verso 461, o por la despreocupada sugerencia de letras convertida en fórmula cristiana «Drihten wereda», en el verso 2186; el genitivo plural común *Denigea* 'de los daneses' se convierte por una asociación accidental con *Scyldinga*, que aparece justo antes, en *Deninga*, verso 465. Las asociaciones accidentales, sobre todo con otras palabras (no con nombres propios) a las que se asemejan en mayor o menor, medida están, de hecho, bien probadas. *Cain*, en «cain wearð» 1261, se convierte en *camp* 'batalla'; *Eomer se convierte en *geomor* 1960; *Hreþric* se convierte en «hreþ rinc» 1836.

Por tanto, no podemos esperar más que la alteración de jutos en eotenos. Las formas *eotum*, *eotenum* son similares en apariencia; el nombre de los jutos solo aparece ocasionalmente en el poema, y en contextos vagos o ambiguos, y sin duda ya no eran tan conocidos en el siglo x (como los frisones, los daneses, los suecos y los gautas), dado que, basándonos en los acontecimientos que estamos estudiando, ya se habían visto desplazados o absorbidos políticamente. El escriba se había encontrado cinco veces (antes del verso 902) con la palabra genuina *ĕoten*. Claro que en los manuscritos en IA no había mayúsculas para guiarnos. De hecho, no hay más pruebas del inglés antiguo *ĕoten* que en el *Beowulf*, aunque eso no prueba que fuera una palabra poco familiar (no tenemos nada más en inglés antiguo que trate de ese tipo de historia o tradición nativas); pero igual que el monstruo y el cuento de hadas sobrevivieron al relato heroico cimentado en la historia, también *eoten* sobrevivió a los jutos, y aún lo encontramos en el inglés medio.

No existe, sin embargo, nada en la forma *Eotenum* (902, 1145) que pueda echar por tierra las pruebas de que cuando se compusieron esos versos la intención era referirse al pueblo de los «jutos». Es indudable que *Ēotum* debía destacar en esos versos en una etapa temprana de la historia de nuestro texto; pero, para lo que nos ocupa, nos importa poco si aceptamos *Ēotenum* como una forma de dativo plural tardío del nombre de los jutos,, junto con otras formas tardías distintas del texto, o lo consideramos una confusión del escriba y lo corregimos por la palabra *ĕoten* (que es sin duda la más probable de las dos posibilidades).

Hoc: solo en «Hoces dohtor» 1076, de Hildeburh y en *Hocingum, Widsith* 29. Véase también Hnæf más arriba, las pp. 68-71 y la nota 19 de la p. 69. Los nombres no compuestos simples que aparecen con una frecuencia inusual en este relato (*Hoc, Finn, Hnæf, Hengest, Eaha*) concuerdan con el siglo v y las pruebas sobre topónimos de las nomenclaturas tempranas en Inglaterra.

*Hengest. Además de la significativa referencia que se hace de él en el Fragmento (véase más arriba), nos lo encontramos varias veces en el Episodio. El significado concreto de las referencias corresponde al análisis sobre el texto: véase más abajo, pp. 159-166, 195-208. El nombre aparece en los versos 1083, 1091, 1096, 1127: todos, cabe decir, en referencia a la situación que se produce tras la muerte de Hnæf, o eso parece. Luego parece presentarse como líder de los defensores (1083), la parte principal del acuerdo con Finn (1091, 1096) y, tras su conclusión, se nos habla de sus sentimientos (1096 y ss., 1127 y ss.). Todos esos casos confirman la sugerencia de «Hengest sylf» (Fragmento 17), que era una figura prominente, incluso dominante entre los defensores, y que se lo había mencionado con claridad antes del estallido de la guerra (que es de lo que habla el Fragmento), y que, de algún modo, estaba estrechamente implicado con la «disputa» que subyace a los acontecimientos.

No existe un consenso general de que «þeodnes ðegne» (1085), una frase que revelaría su relación con Hnæf, se refiera a él. Y aún es menos seguro que se refieran a él como «Eotena bearn» (1088, 1141) en uno o ambos casos. (Véase el análisis del texto.) Sin embargo, apenas cabe duda de que se refieren a él como *wrecca* (1137), y, por tanto, el significado de esta palabra adquiere una importancia especial.

No debemos dejarnos confundir por su cognado, la palabra *Recke* 'héroe, hombre de valor' en alemán moderno (sobre todo cuando aparece en historias antiguas), y olvidarnos de su descendiente, la palabra *wretch* 'hombre infeliz' en inglés moderno. El significo recto de esta palabra es 'exiliado, desterrado a tierras extrañas, apartado de su hogar'. Más allá de la poesía heroica, su connotación natural es de miseria (*wineleas*, *hamleas*, *werig*, *geomor*). Se aplica a Caín, al diablo, a los ángeles caídos. Es la palabra habitual para representar la latina *exul*, *extorris*, y ya en inglés antiguo se usaba para representar *miser*, aunque a veces la encontramos usada simplemente para «forasteros» que viajan, llegan y viven en tierras extrañas (*extraneous*, *advens*, *incola*); cf. SA *wrekkio*, usada para los Reyes Magos de Oriente. El AAA *reccho* conserva un uso similar, cf. *reccheo* en *Hildebrandslied* 48.

Pero el *wreccan* de las tradiciones heroicas se refería a hombres famosos en la historia, bien fueran del pasado remoto como Wudga y Hama (*wræccan*, *Widsith* 129-30) o de tiempos más recientes y cerca de casa: hombres que, expulsados de su hogar por usurpadores, invasores o disputas, o por sus propios actos, adoptaban la vida del vikingo, o encontraron servicio entre los «camaradas» de reyes célebres, incluso (o sobre todo) con los enemigos tradicionales de sus propias casas y pueblos. Adquirieron renombre en canciones como Sigemund («wreccena wide mærost», *B.* 898), y aunque a menudo encontraban un final terrible (como Eanmund, el príncipe sueco exiliado, fugitivo de su tío Onela, que acabó muriendo a manos de Weohstan [«wrecca wineleas», *B.* 2611-3]), también era posible que se cobraran su venganza y se les restituyera su posición, como consiguió Eadgils, el hermano de Eanmund, con la ayuda de los gautas (*B.* 2391 y ss.), o Heremod, quien también tenía el título de *wrecca* (como implica su contraste con Sigemund).

Esta connotación heroica y aventurera de la palabra en la poesía antigua, que vemos (además de rastros del 'exilio') en el AAA *Recke* 'caballero andante, guerrero de valor demostrado', y sobrevive en el alemán moderno *Recke*, se debe a las pugnas entre los orgullosos y ambiciosos hijos, hermanos e hijos de hermanos de los reyes del norte, así como al interés atávico por los relatos de proscritos y las aventuras de hombres valerosos que se recuperan del infortunio.

Así, Sigeferth afirma en el Fragmento (verso 25; véase p. 139) ser un «wreccea wide cuð»; y cabe destacar también que él mismo dice haber «sufrido muchos males». También es «Secgena leod», pero no es un «rey de los secgan», sino un príncipe cuya espada está ahora al servicio de Hnæf. En efecto, la palabra *wrecca* no necesariamente prueba que se incluyera un séquito de otros secgan entre los nobles *gesiþas* del caudillo danés.

Pasemos a Hengest: es posible, al menos, que su posición fuera similar, aunque su fama tal vez fuera mayor; que no perteneciera a la casa o el pueblo de Hnæf, sino que fuera otro exiliado, u hombre desheredado, vinculado a su séquito. Conviene recordar esto, pero por desgracia (hay muchas desgracias en el Episodio) cabe destacar que incluso esa palabra, que promete albergar un significado que ayude a definir la posición y origen de Hengest, no está libre de ambigüedad. No podemos insistir aquí en un significado «heroico» pleno. De todas formas, sigue siendo posible que se haya seleccionado esa palabra para Hengest (no hay compulsión aliterativa ni métrica) porque el autor lo conocía como a un famoso *wrecca*, involucrado en las disputas de su propio pueblo. Este es el tipo de juego que hace el lenguaje poético en inglés antiguo, con palabras complejas que ocupan los breves y sonoros versos cargados de significados (hasta el punto de que no podemos descartar aquellos que estén al límite del significado principal, o bajo la superficie de lo obvio). Podemos admirarlo y disfrutarlo cuando conocemos el tema, pero es una dificultad añadida cuando es precisamente esto lo que intentamos descubrir. Aquí, sin embargo, debemos tener en cuenta el lugar y el contexto. El pasaje trata sobre el fastidio de verse obligados a pernoctar en la corte de Finn; y justo después aparece la palabra *gist*, al menos un equivalente parcial ('forastero', y no 'huésped', precisamente). Resulta claro, por tanto, que lo que definen las palabras *wrecca* y *gist* son las relaciones de Hengest con Finn, no con Hnæf. Es evidente que Hengest no era en esencia un *wrecca*; no estaba «en el exilio», sino que había hecho una visita que había acabado en desastre; no era *wineleas*, pero al menos contaba con su *heap*, y un acuerdo formal con Finn. De todos modos, por el uso de la palabra tampoco podemos afirmar que fuera un *wrecca* al servicio de Hnæf, y que cuando estuviera en casa con Hnæf no se sintiera en su hogar, sino exiliado, un forastero sirviendo en tierras extrañas. Es posible que lo fuera, y es posible que esto (junto con la sugerencia de *gist*) determinara la elección de la significativa palabra del verso 1137, en lugar de un sinónimo de guerrero más vago; pero el significado probable del poeta es que estaba sirviendo (a Finn) en una tierra extraña y que era un *wineleas*, sin señor tras la muerte de Hnæf, de modo que, al no poder regresar (de momento, al menos) debido al invierno, su posición era similar a la de un *wrecca*; la diferencia principal, sin duda, entre su posición y la de un *wrecca* común era que él tenía una disputa y rencores hacia su nuevo señor, y solo lo seguía por la compulsión de una fortuna deshonesta.

Dado que no podemos, sin un análisis concienzudo del texto del Episodio en su conjunto, definir la posición u origen de Hengest con más detalle, debemos ver si podemos sacar algo en claro de las pruebas externas. Fuera de la historia de Finn, el nombre *Hengest* es desconocido en la literatura o los documentos históricos o tradiciones, salvo como nombre de un aventurero y caudillo juto que llegó a Inglaterra con su hermano Horsa.[66]

66. En efecto, es tan extraño e inusual el nombre que el Hengest y el Horsa de la tradición kéntica se han tratado como mitos o ficciones ridículas; pero los nombres de animales, simples o compuestos, eran una característica habitual de épocas germánicas tempranas, un tipo de heráldica en la nomenclatura. Podemos admitir que estos nombres significan 'semental' y 'caballo' (además de una terminación que no es un femenino latino: uno de los escépticos más ignorantes los traduce como 'caballo' y 'yegua' [cf. R. H. Hodgkin, *A History of the Anglo-Saxons* (Oxford, 1935) i 78]), sin demostrar que sean imposibles para personas históricas, igual que podríamos admitir que los hermanos gautas Eofor y Wulf del *Beowulf* (2964-5) llevan nombres que significan 'jabalí' y 'lobo', o creer en la existencia real de caudillos pieles rojas con nombres de animales similares. En cualquier caso, los topónimos demuestran, en varias fechas posteriores al siglo v, que esos nombres no eran imposibles en hombres. Esto resulta evidente en el caso de *Horsa*, que no puede significar 'un caballo', pero aparece en sus formas más tempranas (*Horsan-den*) en Horsington, Lincolnshire, y Horsenden, Buckinghamshire. El uso del genitivo también indica un elemento personal en nombres como *Hengestesheal* (el nombre de un campo registrado en el siglo x en Worcestershire) o *Hengestesig*, que es la forma primera de (Ferry) Hinksey. Tal vez no sea posible obtenerlo en el último caso; los nombres con formas «personales» genitivas a veces eran inventados (cf. *Hrofesceaster*), o se generaban a partir de nombres no personales (cf. *Crónica*, año 835: Parker MS *Hengest-dun*, Laud MS *Hengestes-dun*). Sin embargo, esta tendencia da testimonio del carácter predominantemente personal de los topónimos en IA.

Es posible, por descontado, que se trate de personajes distintos, pero no es ni mucho menos la lectura más probable de las pruebas de que disponemos, por las razones siguientes:

(1) *Hengest* es un nombre extraño e inusual.

(2) Las dos personas que llevaban este memorable nombre eran contemporáneas, y aventureros en las mismas aguas. Para la cronología, véase más abajo, pp. 117-124.

Con todo, estos topónimos, por mucho que pueda considerarse que demuestran la posibilidad de que hubiera gente real con nombres como *Hengest* y *Horsa*, son posteriores al tiempo del Hengest (o Hengests) de la tradición heroica o histórica, y su uso puede deberse precisamente a la popularidad de las leyendas asociadas al nombre. Por tanto, no afectan en exceso a la afirmación de que, para el período que nos ocupa, *Hengest*, sin ser un nombre que nos obligue a pensar que su propietario sea ficción, sigue siendo de todos modos significativamente inusual. Por las mismas razones, la supervivencia del nombre en documentos tardíos no es más que un testigo interesante de la posibilidad de tales nombres, y probablemente de la supervivencia tardía de las tradiciones heroicas. Véase Allen Mawer y F. M. Stenton, *Introduction to the Survey of English Place-Names* (Cambridge, 1924) i 187, donde *Swanhild* se cita desde el siglo XII (en el *Liber Vitæ* de Hyde); *Widi*(g)*a* es popular en Norfolk a finales del siglo XI. Hengest sobrevive aún más tarde: «Hengest mercator» aparece en unas actas en Norfolk, durante el reinado de Ricardo I, y a *Engist*, hijo de *Langhine*, se lo acusa de haber robado grano en 1198 («Assize Rolls»). Compárese la aparición de (*gesta*) *horsi et hengesti* en el tardío MS Cotton Vespasian D iv, donde el doctor Rudolf Imelmann descubrió una lista breve de ocho héroes, recordados, por lo visto, tras la conquista normanda (la cita completa puede encontrarse en el apéndice de Chambers, *Widsith*, 254) [Rudolf Imelmann, «Review of Schücking's *Beowulf*» (octava edición), *Deutsche Literaturzeitung* xxx (1909) 995-1000, p. 999; véase más abajo, p. 125].

(3) Uno probablemente fuera juto, o en cualquier caso líder de los jutos, y se lo reconocía como el antepasado de los reyes del reino juto de Kent; el otro es una figura predominante en un relato en el que el nombre *Eotena*, *Eotenum* aparece claramente como un factor importante, y ya se ha visto que este nombre significa, con casi toda probabilidad, 'jutos'.

(4) La tradición kéntica, la única fuera del verso en inglés antiguo, nombra (en relación con Hengest) a Finn, hijo de Folcwald, como en el *Beowulf*. Véase más arriba, en Finn, p. 83.

No supone forzar las pruebas, sino seguir el hilo más obvio, identificar a los dos Hengests y creer que hemos conservado dos tradiciones de aventureros diferentes en la historia vital de un famoso aventurero, y ambas donde cabría esperar, si los dos Hengests fueran el mismo: la historia de la valiente defensa en las tradiciones heroicas que tienen que ver sobre todo con Germania, no con Britania; la historia de la llegada a Britania y la fundación de un nuevo reino en la historia embrionaria de ese nuevo reino. De hecho, cualquier teoría del Episodio o el Fragmento que separe a los dos Hengests (o no tenga en cuenta su identidad al completo) debería, creo, contar con unos contraargumentos muy sólidos. A menos que no tarde en llegar, no nos queda otra que ver a los jutos en la historia de Finn y a Hengest entre ellos.

Tampoco refuta esta idea el carácter o la atmósfera general del relato. Los problemas y disputas entre daneses y frisones, así como de los otros pueblos del mar del Norte que se interponen entre ellos, deberían preceder y estar estrechamente relacionados con los acontecimientos de Britania durante el siglo v; es sin duda lo más esperable. No requiere un gran esfuerzo creer que esas tradiciones, y la participación de Hengest en ellas, deberían haber figurado desde tiempos antiguos y de manera significativa entre las tradiciones de los pueblos que recordaban a Hengest como un líder prominente en Britania.

Resta, a pesar de todo, un problema cronológico que debemos resolver de la mejor forma posible antes de terminar con Hengest.

Aquí no podemos analizar en detalle la tradición de la «Crónica» y la cuestión de Hengest y Horsa. Los puntos más importantes al respecto sobre los que nos ocupa son los vínculos jutos de Hengest, su posición como aventurero guerrero y la fecha que nos da la tradición sobre su llegada.

Podemos aceptar que esta tradición es creíble dentro de unos ciertos límites. Este tipo de tradiciones, sobre todo cuando provienen de un momento en el que se suceden numerosos acontecimientos significativos, es probable que perduren en el tiempo y sean precisas en determinados aspectos: estos aspectos, en una tradición aristocrática y dinástica, vinculados al verso «heroico» aunque no necesariamente limitados a él, serán los nombres principales de personas, caudillos, líderes y guerreros, su relación (sobre todo de sangre) y algo sobre la secuencia de los acontecimientos. La datación exacta será su debilidad: lo que se recuerda puede que se conserve en el orden correcto, pero es posible que la línea se extienda por aquí o se contraiga por allá.

Es improbable que debamos tratar las confusiones de la historia goda, que apenas alcanzó Inglaterra y Escandinavia desde la distancia, ya en sus capas tempranas probablemente alterada hasta cierto punto por el interés en lo personal y lo dramático, y que ahora al fin nos ha llegado tras un largo proceso de manipulación literaria desconectada de la historia, o incluso intereses locales o dinásticos. Aquí tratamos lo que concierne directamente a los ingleses, y los nombres de los líderes y caudillos reales de las aventuras en Britania, así como de los ancestros de los reyes reales ante los cuales se recitaban los lais.

La historia de Hengest y Horsa pertenecía a una antigua tradición inglesa, o más bien kéntica, y parece además haber alcanzado la forma escrita documental en una fecha muy temprana, algo que no es ni imposible ni improbable en el sureste. Esta tradición se mezcló pronto con la tradición galesa, pero en Inglaterra, en Kent, siguió siendo independiente y nativa.[67] Las cuestiones fijas de la tradición, y, por tanto, en las que podemos basarnos, son las siguientes: el origen juto[68] del reino de Kent; los nombres de los líderes de la expedición,[69] Hengest y Horsa, su hermano; la llegada a Thanet hacia la mitad del siglo v; la muerte de Horsa en batalla en los primeros días de

67. Chadwick, *Origin*, 35-52.

68. Beda I xv [Plummer, *Beda*, i 30-33]; *Crónica* (dependiente de Beda) del año 449. De todas formas, podemos confirmarlo a partir de otras consideraciones lingüísticas, legales y arqueológicas, que señalan la distinción entre Kent y las zonas anglas y sajonas, pero también la conexión de su cultura con la de Wight, tal como afirma Beda. Véase R. W. Chambers, *England before the Norman Conquest* (1926) 50-51, 56.

69. Es probable que fueran jutos. No hay ninguna razón de peso para dudarlo, pero la controvertida cuestión de los jutos y sus relaciones con Frisia entran aquí en juego, y están sin duda estrechamente relacionadas con la interpretación de la historia de Finn, y es muy probable que sus análisis se complementen. Véase Chambers, *op. cit.* 56.

combate; la fundación del reino de Kent por uno de los hijos de Hengest[70] en una fecha posterior.[71]

Beda I xv: Duces fuisse perhibentur eorum primi duo fratres Hengist et Horsa; e quibus Horsa postea occisus in bello a Bret tonibus, hactenus in orientalibus Cantiae partibus monumentum habet suo nomine insigne.

II v: Erat autem Aedilberct filius Irminrici, cuius pater Octa, cuius pater Oeric cognomento Oisc, a quo reges Cantuariorum solent Oiscingas cognominare. Cuius pater Hengist, qui cum filio suo Oisc inuitatus a Uurtigerno Brittoniam primus intrauit.

Crónica, 449 d. C. (fecha extraída del principio de *Beda* 1 xv): Her Mauricius // Ualentines onfengon rice // ricsodon vii

---

70. La *Historia Brittonum* presenta a Ochta como su hijo, cuyo hijo era Ossa (=¿Oisc?) [Mommsen, *Chronica Minora*, 203]; véase también el Apéndice C, p. 268 (en realidad, en esta versión, 268-269)]. Podemos ignorar este cambio y aceptar la versión inglesa que establece a Oisc como hijo y a Octa como nieto de Hengest (Beda II v). El nombre *Oisc* parece ser una ortografía arcaica de **Oesc* (con la forma corrompida *Æsc* en la *Crónica*), **Ēsc* de un aún más temprano **Ōski*, **Anski*. Este nombre parece haber llegado al «Geógrafo de Rávena», en la que se menciona que un príncipe de los «sajones» (el nombre indiscriminado habitual para cualquier invasor germánico) llamado *Anschis* (*Ansehis*) se había «asentado en esta tierra de Britania un tiempo atrás». [El pasaje aparece impreso en I. A. Richmond y O. G. S. Crawford, *The British Section of the Ravenna Cosmography* (Oxford, 1949) 17, y en A. L. F. Rivet y Colin Smith, *The Place-Names of Roman Britain* (1979) 205.] Lo más probable es que la información que se recibiera en el continente tratara sobre todo acerca de los acontecimientos del sureste.

71. Véanse las citaciones de la *Crónica* y el análisis más abajo. [Para las citaciones de Beda, véase Plummer, *Bede*, i 31 y 90.]

winter; // on hiera dagum Hengest // Horsa from Wyrtgeorne geleaþade Bretta kyninge gesohton Bretene on þam staþe þe is genemned Ypwinesfleot. 455. Her Hengest and Horsa fuhton wiþ Wyrtgeorne þam cyninge in þære stowe þe is gecueden Agæles þrep, // his broþur Horsan man ofslog; // æfter þam Hengest feng to rice // Æsc his sunu. 457. Her Hengest // Æsc fuhton wiþ Brettas in þære stowe þe is gecueden Crecganford, // þær ofslogon iiii wera (es decir, 4000, aunque en otras versions aparece «iiii werad»), // þa Brettas þa forleton Centland, // mid micle ege flugon to Lundenbyrg. 465. Her Hengest // Æsc fuhton uuiþ Walas neah Wippedes fleot, // þær xii wilisce aldormenn ofslogon // hiera þegna an þær wearp ofslægen, þam wæs noma Wipped. 473. Her Hengest // Æsc gefuhton wiþ Walas, // genamon unarimedlico herereaf, // þa Walas flugon þa Englan swa fýr. 488. Her Æsc feng to rice, 7 was xxiiii wintra Cantwara cyning.

No es necesario para nuestro propósito presente que tratemos la controvertida cuestión del proceso de la invasión «inglesa», ni de la relación de la tradición en la *Crónica* con otras pruebas (por ejemplo arqueológicas).[72] Tampoco nos preocupa

---

72. Si se identifica a Hengest I (del *Freswæl*) y a Hengest II (de Kent), es evidente que Hengest no pudo ser un hombre que permaneciera un largo tiempo en Frisia (o un descendiente de los jutos exiliados). Debió de ser un hombre que conservaba su domicilio en Jutlandia, y de vasallaje o lealtad «danesa»; pero eso no necesariamente contradice las pruebas arqueológicas, legales o lingüísticas sobre el asentamiento «juto» de Kent. Antes de la expansión danesa, Jutlandia era sin duda una zona ingaevónica, y su idioma (y cultura) no era escandinavo, sino que estaba relacionado con el de los anglos que habitaban el sur de la península. No creo que pueda demostrarse que el carácter lingüístico del kéntico no derivó de la

la posición exacta de Hengest en ese proceso. Su expedición pudo ser o no la primera. Los saqueos marítimos «sajones» comenzaron a ser un asunto serio incluso antes del siglo v, y el curso de los acontecimientos fue sin duda largo y confuso; pero algo parece emerger de ese desconcierto, y es que aproximadamente a mediados de siglo la situación dio un giro (igual que ocurriría más tarde en el caso de las invasiones danesas), unos golpes devastadores de los cuales la defensa britana no se recuperaría jamás del todo, y Britania se enfrentó no solo a

---

«Jutlandia» al norte de los ingleses (en Angeln). Sin embargo, en este período es probable que Frisia fuera un centro cultural y comercial dominante. Además, si suponemos que Hengest, poco después del *Freswæl*, aparece en Britania como aventurero (y «mercenario» temporal), es razonable suponer que necesitaba más que su *heap* (o pequeño grupo de guerreros), y que teniendo en cuenta las condiciones de Frisia tras la destrucción de Finn y Finnesburg y su saqueo (del cual no oímos nada), no solo reclutaría jutos, sino «jutos frisones», y sin duda muchos frisones (que huían de los daneses del mar); y no debería sorprender que los artefactos de los primeros asentamientos «jutos» demostrasen sobre todo vínculos con Frisia y la desembocadura del Rin.

[Hay estudios recientes que confirman la precisión del relato de Beda sobre el asentamiento de Kent. Para las pruebas arqueológicas, véase J. N. L. Myres, «The Angles, the Saxons and the Jutes», *Proceedings of the British Academy* lvi (1970) 145-74. Myres concluye que Beda «tuvo incluso más razón al percibir, bajo la brillante fachada de la sofisticación franca, el sólido trasfondo juto del pueblo kéntico y sus vínculos con el sur de Hampshire y la isla de Wight» (p. 173). Para las pruebas lingüísticas, véanse M. L. Samuels «Kent and the Low Countries: Some Linguistic Evidence», en *Edinburgh Studies in English and Scots*, editado por A. J. Aitken, Angus McIntosh y Hermann Pálsson (1971) 3-19, y René Derolez, «Cross-Channel Language Ties», *Anglo-Saxon England* iii (Cambridge, 1974) 1-14.]

saqueadores, sino a los esfuerzos decididos por establecer asentamientos permanentes. Que Hengest era en realidad era un hombre sin señor, que buscaba empleo como guerrero y cualquier oportunidad que la fortuna le brindara, que actuó primero como mercenario y no tardó en cambiar de propósito, es altamente probable, y muy sugerente si lo identificamos con el thane de Hnæf. También es muy posible que fuera su éxito lo que cambió el curso de los acontecimientos y atrajo a líderes de gran importancia y séquitos más numerosos a Britania, como solución a la guerra y la presión de sus tierras nativas. La prominencia que se le otorga a su nombre en Beda y la *Crónica* se debe sin duda en parte al establecimiento temprano del reino juto, y a su especial importancia a finales del siglo VI, en la época de las primeras misiones; depende sin duda de la tradición del sureste, pero eso no excluye la posibilidad de que Hengest hubiera sido una persona prominente y de renombre.

Por desgracia, nuestro problema principal en estos momentos es la fecha de la expedición de Hengest, una cuestión sobre la que la versión tradicional no es probable que sea demasiado de fiar. Con todo, esta fecha, digamos aproximadamente el año 450 d. C., no puede rebatirse con seriedad, a menos que lo descartemos todo por ser un simple mito. La fecha actual, el 449, se la debemos a Beda y a sus cálculos, basados sin duda, como es habitual, en las tradiciones nativas y la información extranjera, y su intento por armonizarlas.[73] Sus cálculos cuadrarían con cualquier fecha entre los años 450 y 455 d. C. Es una sugerencia interesante que la expedición

73. Véase R. W. Chambers, *England before the Norman Conquest* (1926) 81.

juta (que, según las pruebas arqueológicas, se cree que procedía de la desembocadura del Rin)[74] tuvo algo que ver con la batalla de Chalons (452) o con el crecimiento del poder franco.[75] No nos afecta de manera directa, salvo la cuestión de que la desembocadura del Rin se considera, en este discutible período, tanto una zona de influencia frisona como franca.

De todas formas, y aunque tal vez no podamos fijar la fecha en el 449 o en cualquier otro año concreto entre el 449 y el 455, tampoco podemos modificarlo más que unos pocos años. De hecho, en la *Crónica* encontramos un ejemplo de esa extensión de la línea de la secuencia histórica, no de su confusión, que ya hemos dicho que es probable. La muerte de Horsa (cuya tumba aún podía verse en el este de Kent en tiempos de Beda),[76] un acontecimiento memorable, es probable que esté bien ubicada, pero el tiempo que pasó entre eso y el desembarco se ha extendido; la tradición nativa se ha mezclado con los cálculos de Beda. Podemos representarlo, con un atisbo de esperanza de que sea más o menos correcto, de esta forma: entre los años 450 y 455 d. C. (pongamos el 453, aproximadamente), una expedición juta desembarcó en Thanet, sobre todo como mercenarios; pero poco tiempo después estallaron las hostilidades entre ellos y sus empleadores. Los líderes eran Hengest y Horsa. Horsa cayó en batalla hacia el 455. Atraídos por las victorias iniciales del intento, muchos jutos los siguieron y, tras algunos éxitos dispares, consiguieron

---

74. E. T. Leeds, *The Archælogy of the Anglo-Saxon Settlement* (Oxford, 1925) 99.

75. G. P. Baker, *Fighting Kings of Wessex* (1931) 54.

76. Véase la citación anterior, pp. 114-115.

establecer un «reino» permanente en Kent; aún está por ver si eso se produjo en vida de Hengest.

Ahora debemos regresar al *Freswæl*. No cuenta con ninguna fecha tradicional, pero eso es lo primero que debemos intentar hacer, por muy conjetural que sea, e independientemente de la identificación de los Hengests.

La conexión del *Freswæl* con los acontecimientos en Britania no solo depende de su identificación. De primeras, lo más probable es que pertenezca a los años turbulentos del siglo v en que el poder danés perturbó el norte, cuando los jutos parecían inquietos y en una situación incierta, buscando nuevos hogares al sur y al oeste, y cuando los hunos (entre otras causas) perturbaron y desplazaron el sur, con consecuencias profundas para la defensa de Britania; pero también podría fecharse en un momento anterior o posterior. Las tradiciones heroicas inglesas miraban más allá del siglo v (como en el caso de Offa), y no estaban desconectadas de los acontecimientos del norte tras ese siglo.

Con todo, podemos descartar una fecha posterior al siglo v, o incluso a finales de siglo. El *Freswæl* no podría haberse producido después de la muerte de Healfdene Scylding y la ascensión al trono de su hijo Hrothgar. Incluso ignorando la conexión propuesta más arriba (en *Healfdene*) entre Hnæf y Healfdene (aunque es prácticamente indudable que hubo alguna relación), es muy improbable que se seleccionara un acontecimiento que se produjo en vida de Hrothgar, o durante su reinado, y sobre todo en un momento tan cercano al supuesto banquete, para un bardo de Heorot por un poeta que escribió cuando muchas de las tradiciones de los daneses seguían en boga, y cuando aún se conservaba una cantidad considerable de conocimientos sobre la relaciones dinásticas y su cronología aproximada.

Sin embargo, si damos por supuesta la relación que he propuesto entre Healfdene y Hnæf, es necesario fechar el *Freswæl* como máximo durante los primeros años de Healfdene. La relación entre los dos no pudo ser más cercana en el tiempo que entre el sobrino (Healfdene) y el tío (Hnæf).[77] Por tanto, es probable que Healfdene tuviera veinte años menos, o como mínimo diez, que Hnæf, quien era (en la interpretación más factible del Fragmento) un hombre relativamente joven.

Ahora bien: las fechas de Healfdene pueden calcularse de manera independiente.[78] Su nacimiento debió de producirse hacia el año 440, o quizás un poco antes. La secuencia más probable es la siguiente: Healfdene nació entre los años 435 y 440 d. C.; murió (o fue asesinado) a una edad suficiente como para ser memorable y que se hable de él en las tradiciones inglesa y escandinava, entre los años 500 y 505. Hrothgar, su segundo hijo varón y posiblemente su tercer descendiente, triunfó en esa época (con unos 35 años). La visita de Beowulf debió de producirse entre los años 520 y 525, siempre que fuera histórica, y entre unos cinco o diez años más tarde ocurrió la caída de Hygelac (525-30).

---

77. Cualquier relación posterior, como que eran primos, o que Hnæf era (digamos) el sobrino, haría que la explicación del extraño nombre Healfdene fuera mucho más compleja.

78. Véase el Apéndice B: La datación de Healfdene y Hengest. [Existen algunas discrepancias menores entre el texto y el apéndice, pero no afectan a la teoría.]

En esa secuencia, el *Freswæl* podría encajar aproximadamente en el año 450. Healfdene tendría entonces de 10 a 15 años, y Hnæf (¿su tío?), unos 30; Hildeburh tendría al menos 33, y su hijo, 15 o más. El *Freswæl* no puede ser muy posterior a la fecha sugerida, aunque también sería posible un ajuste de uno o dos años.

Sin embargo, sí podría haberse producido en una fecha considerablemente anterior si Hoc y Hnæf fueran ancestros remotos de Healfdene. Contra esa suposición, apenas puede argumentarse nada definitivo. A partir de las pruebas arqueológicas, se supone que los problemas en Jutlandia y la migración de los jutos comenzaron mucho antes, tan pronto como en el siglo II.[79] A pesar de todo, a partir de las consideraciones generales (véase más arriba, p. 111-112), no sería esperable que el *Freswæl* datara de un siglo anterior al V: un siglo en el que la importancia evidente de los frisones parece definirlo como el más temprano posible. Sí sería sin duda esperable que el *Freswæl* estuviera directamente relacionado con las condiciones en las que tuvo su punto álgido la casa de Healfdene, y no en un tiempo muy remoto; aunque un vínculo bastante estrecho entre Hnæf y Healfdene es, por mucho, la explicación más probable del evidente interés de Heorot en la cuestión, y la preservación del recuerdo de ese vínculo en Inglaterra señala más bien el siglo V, aún muy recordado, que a épocas anteriores que ya empezaban a difuminarse y confundirse.

Por tanto, entre el amplio abanico de posibilidades, que no podemos reducir con certeza por la mala fortuna de que solo

---

79. Véase Chambers, *op. cit.* 56-7. [Chambers cita a Alfred Plettke, *Ursprung und Ausbreitung der Angeln und Sachsen* (Hildesheim, 1921) 68-9.]

dependamos de una alusión resumida en un pasaje del *Beowulf*, y no tengamos ninguna afirmación precisa sobre la relación de Hnæf y Healfdene, no podemos hacer más por la datación del *Freswæl* que lo siguiente: podría pertenecer a una capa muy antigua de las tradiciones heroica, pero es altamente improbable, y, por tanto, la fecha que mejor se ajusta es un año cercano al 450 d. C.

Ahora bien: este cálculo es bastante independiente de la identificación de Hengest, el thane de Hnæf, y Hengest de Kent. Si se identifica a los dos, una identificación que no solo dependa de las consideraciones de la cronología, la fecha sigue siendo muy plausible. Estamos al menos ante una cuestión interesante y sugerente, y podría considerarse que, en cierto modo, refuerza las distintas conjeturas.

Si hacemos esa identificación, podemos definir aún más la cronología. Lo más probable sería que el *Freswæl* se remonte a una fecha entre los años 450 y 453 (digamos), y que ocurra poco antes de la expedición a Britania, con la que muy posiblemente esté relacionado. En el momento del desastre, Hengest debe de tener unos 25 años, si creemos que murió hacia el año 488 (con una edad entonces de 63 años). Es evidente que podría (como mera posibilidad) haber sido unos diez años mayor, pero no tenemos ninguna manera certera de definir su edad. Nuestras únicas indicaciones son (a) la probabilidad de que se lo llame *hyse* en el Fragmento, (b) la edad de su hijo hacia el año 455 y (c) el ascenso de su hijo en el 488.

Pero en realidad tampoco tenemos por qué creer que Hengest sobrevivió hasta el 488, ni siquiera si aceptamos la tradición inglesa que al fin se recoge en la *Crónica*. El hecho de que

Oisc (Æsc), y no Hengest, le diera el nombre al kéntico *Oiscingas* no refuta, a la vista de la tradición fijada, el parentesco de Oisc, sino que sugiere que Oisc se adscribía en realidad a la fundación o establecimiento permanente del reino, y que eso no se consiguió hasta después de la época de Hengest. La muerte de Hengest pudo producirse en cualquier momento, digamos, entre el año 470 (en la *Crónica*, se lo menciona por última vez en el año 473) y hacia el año 490 (en el año 488, la *Crónica* menciona el «ascenso» de Æsc). La expresión «feng to rice» no solo se utiliza para referirse al ascenso normal del heredero a un reino ya existente; también puede traducirse por 'tomar o adquirir el mando'.

En lo que respecta a Æsc, lo más probable es que la tradición de la *Crónica* sea errónea. Beda afirma (véase la citación más arriba, p. 114-115) que llegó a Britania invitado por su padre; la *Crónica* lo asocia con su padre en el momento en que «toman el mando» tras la muerte de Horsa (455; véase más arriba, p. 114-115); y, de nuevo, en la batalla contra los britanos en el 457 (Laud MS, año 456).

Sobra decir que, si Æsc no tenía más que 17 años en el 455, en el 488 habría tenido 50, y 74 en el momento de su muerte (no introducida en la *Crónica*) tras 24 años de reinado. No es imposible, pero sí muy dudoso. En ese caso, Hengest tendría como mínimo 35 años en el momento del desembarco, y deberíamos situar su nacimiento antes del 420, y su edad en el 488 (suponiendo que vivió tanto), cerca de los 70 años. No es ni mucho menos imposible (la carrera de Penda nos advierte de que un rey puede triunfar tarde en la vida y morir a una edad avanzada, incluso en batalla), pero en general es más probable que la línea de acontecimientos entre los años 449-99 se haya estirado; un proceso ni mucho menos improbable, como ya se ha comentado.

No se ha estirado al situar la ascensión de Æsc demasiado tarde. Æthelberht, su bisnieto, reinaba en el año 596 y no murió hasta el 616. El espacio entre el 488 y el 596 solo lo ocupan Æsc, Octa e Irminric, siempre que asumamos una longevidad razonable entre los reyes kénticos. Es probable, aunque no seguro, que la irrupción de Æsc como guerrero se haya fechado demasiado temprano. Probablemente no tuviera lugar antes del año 470, más o menos. Aunque hubiera llegado a Britania con Hengest, es probable que no fuera más que una criatura en ese momento, y que pudiéramos situar su nacimiento, siempre desde la conjetura, cerca de la fecha del *Freswæl*.

Por tanto, podríamos ordenar así los acontecimientos: Hengest nació entre los años 420-25; sobrevivió al *Freswæl* (hacia el años 450, o un poco más tarde) con 25-32 años; llegó a Britania hacia el 453 (su hijo nació hacia el 450); Horsa es asesinado hacia el 455; Hengest se menciona por última vez en batalla en el año 473 (con 48-53 años), y hacia esa fecha su hijo Æsc se convierte en guerrero, estableciéndose como rey de los *Cantware* hacia el año 488 (con unos 38 años de edad, y muere en el 512 (con unos 62 años).

Folcwaldan sunu 1089. Véase más arriba, en la entrada *Finn*.

Dene: véase más arriba, en la entrada *Healfdene*. *Dene* parece estar equiparado con «Hengest heap» 1091;[80] «to Denum»

---

80. [Tolkien cualificó más tarde esta identificación: véase más abajo, p. 162.]

1158 significa 'de vuelta al hogar de los saqueadores', sin duda el hogar de Guthlaf y Oslaf, y aparentemente el de Hildeburh y Hnæf. No se menciona a Hengest.

Hunlafing 1143, a veces dividido en *Hun* («hombre») y *Lafing* («espada»). Esto es plausible porque *Hun* aparece como nombre masculino y «heroico» (p. ej., «Hun Hætwerum» en el verso 33 del *Widsith*, y *Hun* en Saxo).[81] Es un nombre antiguo, y probablemente distinto en origen al de los hunos. Pero sobre las razones para conservar *Hunlafing* como el nombre patronímico de un hombre, véase *Guðlaf ond Oslaf* (la entrada siguiente).

*Guðlaf ond Oslaf 1148. Esta es evidentemente la misma pareja que *Ordlaf* y *Guþlaf*, quienes están con Hengest, y, por tanto, tenían una relación estrecha, cuando protegen una de las puertas del salón en el Fragmento. Sobre la variación *Oslaf*, *Ordlaf*, véase p. 54.

Más allá de las alusiones en el Fragmento y el Episodio, las pruebas son escasas pero sugerentes:

(1) El pasaje en MS Cotton Vespasian D iv (fol. 139v) que descubrió Imelmann, y en el que se ofrece una breve lista de héroes germánicos que todavía se recordaban (después de la conquista normanda) en la tradición inglesa, y que se habían ganado la fama en Italia, la Galia, Britania y Germania,[82] nos dice que de la amplia actividad de los bárbaros y germanos que se asentaron a lo largo y ancho de Europa dieron testigo «gesta rudolphi et hunlapi, Unwini et Widie, horsi et hengisti,

81. [Müller, *Saxo*, 240; Holder, 159, Elton, 197.]
82. [Véase más arriba, p. 109, nota al pie 66.]

Waltef et hame». Solo ocho nombres. Unwine, Widia y Hama
pertenecen a la historia goda y no nos interesan aquí (a los tres
se los menciona en el *Widsith* 114, 124); pero es destacable
que si los descartamos, junto con el héroe tardío de la «conquista normanda» Waltef, solo nos quedan nombres vinculados con la casa de Healfdene y el *Freswæl*. Por asociación con
rudolphi (es decir, Hrothulf), se considera que Hunlaf probablemente fuera danés. La aparición de estos nombres en la
misma lista breve, aunque los godos Unwine y Widia aparezcan entre medias (desvinculados con bastante claridad y sepa-
rados por error de Hama), también es muy sugerente.[83]

(2) En el resumen en latín del ya perdido *Skjöldungasaga*,[84]
descubrimos que Herleifus (cuarto rey de Dinamarca después
de Scioldus) tuvo un hijo, Leifus, quien a su vez tuvo seis hijos: Herleifus, Hunleifus, Aleifus, Oddleifus, Geirleifus y

83. [Esta lista es una prueba sólida a favor de la identificación del
Hengest del *Freswæl* con el Hengest de Britania. Si excluimos los cuatro
nombres que Tolkien demuestra ser superfluos, nos quedan Hrothulf,
Hunlaf, Hengest y Horsa, en ese orden. A Hunlaf se lo asocia con el Hengest del *Freswæl*, y Horsa, con el Hengest de Britania; una colocación así
sin más comentarios sería improbable si los dos Hengests no fueran la
misma persona.]

84. El *Rerum Danicarum Fragmenta* (1595 d. C.) de Arngrím Jónsson
es un epítome de una versión tardía del siglo xii del *Skjöldungasaga*. La
cuestión a la que se alude tiene lugar en el capítulo IV, entre la versión de
Scioldus (Scyld) y la versión incoherente y confusa de los hetobardos (Frodo) y los daneses (Halfdanus) [Jakob Benediktsson, *Arngrimi Jonae Opera
Latine Conscripta* (*Bibliotheca Arnamagnæana* ix-xii: Copenhague, 1950-
57) i 336]. El primero que aplicó esa versión para la cuestión que nos
ocupa fue Chadwick, *Origin*, 52, nota al pie 1.

Gunnleifus. Los tres nombres que nos interesan son los equivalentes exactos del IA *Hunlaf, Ordlaf* y *Guðlaf.*

¿Qué tendrá que ver esta cuestión tardía, confusa y elaborada del *Skjöldungasaga* con lo que nos ocupa? Podríamos dar las razones siguientes:

(1) Son daneses, igual que nuestros personajes; o al menos pertenecen a una región o pueblo que más tarde se confundiría o sería absorbido por los daneses, junto con sus leyendas. Además, son *Skjöldungar,* y ya hemos visto que se ha dado por sentado con demasiada precipitación que *Scyldinga* 1069 y *Here-Scyldinga* 1108 no reflejan más que un simple uso «épico» en el Episodio.

(2) Un nombre similar sería un accidente, pero con tres es bastante improbable. Incluso es probable que el orden de prioridad sea el mismo. La elaborada fuente escandinava ofrece, entre otros nombres, Hunleifus, Oddleifus, Gunnleifus. La tradición inglesa sugiere que Hunlaf era el más importante, y el Fragmento, que conserva mejor los nombres, incluye a *Ordlaf* y *Guþlaf.* Huelga decir que el orden en el Episodio podría deberse simplemente a la aliteración.

(3) *Unhlad* y *Ordlaf/Oslaf* son nombres bien documentados en IA, pero Guðlaf solo aparece en el Episodio y el Fragmento: y, por inconcluyente que sea esa prueba negativa, esto nos sugiere que en Inglaterra disponemos de tradiciones que tratan sobre héroes no ingleses.

(4) Es destacable la relación de los nombres de los hermanos por la rima (y no la aliteración) tanto en el *Skjöldungasaga*

como en inglés, y de nuevo nos sugiere un origen común en las tradiciones.

Es prácticamente indiscutible que debemos mantener *Hunlafing* como único nombre;[85] en ese caso, se referiría a un hijo de Hunlaf, que era lo bastante importante como para nombrarlo por el patronímico, en un fragmento tan reducido y deliberadamente vago como el Episodio. La situación de Hunlaf no es clara. Si nos fiamos del *Skjöldungasaga*, deberíamos considerarlo un hermano, y Hunlafing, un sobrino, de Guthlaf y Ordlaf, unos personajes claramente muy destacados. Estaría aún por decidir si Hunlaf fue uno de los muchos que perecieron en el *Freswæl*, y si su caída forma parte del «weana dæl» del que se lamentan Guthlaf y Oslaf (Episodio 1146-50). Debemos asumir que Hunlaf era lo bastante importante como para que su hijo ascendiera, o hubiera ascendido antes de estos acontecimientos, de forma natural hasta ser el líder o portavoz de los «daneses» en el séquito de Hnæf; y para que no necesitara ningún nombre más preciso.

Esto no puede utilizarse para simplificar el problema de las posiciones y relaciones de Hnæf y Hengest y de otros nombres entre los defensores; pero eso tampoco demuestra que sea incorrecto. Con todo, no puede negarse que incluso en el Episodio es difícil creer que se referirían así a un personaje nuevo que no se menciona en ningún otro sitio y que, sin embargo, es lo bastante importante como para justificar las suposiciones que acabamos de comentar; aunque si tratamos de explicarlo

85. Aparece como «patronímico» en unas actas inglesas, *Hunlafingham*: W. de G. Birch, *Cartularium Saxonicum* (1885-9) Nº 1077.

afirmando que Hunlaf era bien conocido como una de las víctimas del *Freswæl* (de modo que su nombre les resultara familiar a una audiencia del siglo VIII o a los lectores del Episodio del mismo siglo), seguiría pareciéndonos extraño, por mucho que pueda alegarse lo reducido del texto, que no se mencione la caída de un hombre tan importante (el caudillo de los seguidores daneses de Hnæf, digamos).

Considero que estamos depositando demasiada confianza, o una confianza equivocada, en el *Skjöldungasaga*. Podemos fiarnos del texto, o darle las gracias, por la preservación de ciertos nombres de la tradición antigua, relacionados con la leyenda danesa, e incluso asociados con el nombre *Scylding*; pero seguiría generando graves sospechas, si estudiamos otras elaboraciones y confusiones al representar una etapa tardía de la tradición escandinava en que estos nombres aparecen (a) multiplicados por invención, y (b) sus relaciones originales se han alterado y confundido. Parece bastante posible, si no demostrable (dedicándole al *Skjöldungasaga* toda la atención que merece), que en la tradición inglesa Hunlaf fuera el nombre de un famoso héroe danés, lo bastante famoso como para haber sobrevivido al período del inglés antiguo, relacionado sobre todo, de algún modo, con la leyenda de los eskildingos, con quienes los ingleses estaban sin duda muy familiarizados. Se le atribuye un hermano incluso a Hengest, pero no a Hunlaf. No conservamos nada de esta leyenda, pero es factible que en la tradición inglesa Ordlaf y Guthlaf fueran sus hijos, y una pareja famosa de hermanos guerreros. El uso de *Hunlafing*, refiriéndose a uno de esos hermanos, que se mencionan poco después (probablemente Ordlaf/Oslaf, como el mayor), sería entonces mucho más inteligible. El Episodio tiene por costumbre referirse a los personajes, una vez mencionados por sus nombres propios, con una perífrasis, pero para incluir personajes sin nombre. Por eso «Healfdene hildewisan» 1064, «Hoces dohtor» 1076, «Folcwaldan sunu» 1089. Hunlafing no se ha nombrado antes, pero tal vez con más razón deberíamos reclamar que fuera alguien que se nombrara en algún momento, como Ordlaf/Oslaf o Guthlag.

Es evidente que no podemos decidir en qué momento preciso entran los hermanos «Hunlafing» en escena sin hacer referencia a una teoría completa de la interpretación; pero incluso entonces podría sugerirse que, teniendo en cuenta lo que ya se ha dicho sobre Hnæf, Healfdene y Hengest, es probable que representen un elemento más puramente danés en el *comitatus* heterogéneo de Hnæf, vinculado con las relaciones de sangre entre Hnæf y Healfdene ya propuestas. Es por supuesto también posible que Hunlaf estuviera genealógicamente relacionado con Healfdene.

En cualquier caso, parece bastante claro que Hengest no pertenece a esa parte del séquito de Hnæf. No hay interpretación posible de ese punto crucial del Episodio, versos 1142-5, que sea verdaderamente inteligible a menos que incluya, de algún modo, la certeza de que Hengest, el superviviente más destacado entre los defensores, cuenta con la lealtad y el apoyo de una sección a la que no pertenecía, y con la cual solo lo vinculaba el servicio común que prestaban a Hnæf, ya muerto. Veremos más tarde si eso arroja algo de luz sobre los versos 1083-5.

El fragmento

1 «nas byrnað næfre». Si este es el primer verso, la cesura debería ir antes del *nas*, que debe de ser la última parte de un sustantivo plural. La palabra anterior, probablemente un adjetivo, debía de comenzar por *b*. El verso 4 muestra que la palabra es *hornas*, que en ese verso es una respuesta enfática. Es evidente que alguien ha visto una luz repentina, y probablemente haya formulado una pregunta en los mismos términos que la respuesta: «hay una luz parecida a un fuego», «no puede ser el alba, ¿verdad?», «¿o un dragón?», «¿o los aguilones del techo están ardiendo?».

næfre es una palabra extraña. Un sentido como el uso coloquial inglés «it's never the roof burning, is it?»,[1] es decir, «seguro que no», sería interesante, pero apenas encontramos ejemplos. Además, en una pregunta así, la posición final (donde con ese significado sería enfática) es tan inusual que no podemos más que sospechar. Esto, sumado al hecho de que la primera mitad del verso es extraña, hace que «Hnæf hleoþrode»

1. [*N. del T.*] Traducción literal: «el tejado no está nunca ardiendo, ¿verdad?».

(tomado de la primera mitad del segundo verso) sea una «corrección muy tentadora», en palabras de Klaeber.[2]

2 En cualquier caso, es probable que el «heaþogeong cyning» sea Hnæf. Es posible que la pregunta original la formulara Hengest. No es necesario darle demasiadas vueltas a la palabra *heaþogeong*; significa que seguía siendo un buen luchador, inmune a las privaciones de la edad. Es posible que fuera ya completamente adulto (unos 30 años), y que su sobrino se acercara a la veintena. En Hickes tenemos *hearogeong*, pero es necesaria una fe muy simple y enternecedora para mantener *hearo-* e interpretarlo como equivalente de *heoru-*. Ni *heaþogeong* ni *hearogeong* aparecen en ningún otro lado, pero no tenemos más que echar un vistazo en Grein-Köhler[3] para comprobar que lo correcto es *heaþo* (cf. *heaþo-deor, -rof, -seoc, -torht, -werig*).

3 Hay tres cláusulas que comienzan por «ne […] ne […] ne» 'ni […] ni […] ni': el otro *ne* simplemente niega los verbos según la sintaxis en IA. Resulta bastante claro que esto es una respuesta a una pregunta tripartita. 'Esto no es (la luz que has mencionado) el alba por el este, ni un dragón que vuela por aquí, ni los aguilones de este salón ardiendo'. La pregunta original era sin duda irónica; la persona que la formuló conocía la respuesta antes de que le contestaran. *Draca* es lo que

2. [Fr. Klaber, *Beowulf and the Fight at Finnsburg*, Segunda edición (1928) 269: «"Hnæf hleoþrode, heaþogeong cyning […]" sería una lectura muy tentadora de este verso». Este comentario se omitió en la tercera edición.]

3. [C. W. M. Grein, *Sprachschatz der Angelsächsischen Dichter*, neu herausgegeben von J. J. Köhler (Heidelberg, 1912).]

probablemente lo demuestre: se mencionan las tres fuentes posibles de luz roja, el sol, un dragón o una llama mundana.[4]

5-7a No creo posible que estos versos (cinco hemistiquios, según Hickes) puedan justificarse, puesto que (a) es absurdo afirmar, como hace Klaeber, que se proporciona un objeto para *beraþ* en el equipo que se menciona más adelante (¡cuando intervienen animales y pájaros!); y (b) necesitamos un sujeto, un sujeto nuevo, para ese *beraþ*, y ni siquiera tenemos un pronombre. Pero la pregunta de los dos primeros versos no recibió una respuesta real, que ahora sí se le ofrece. No sabemos si fue Hickes o alguien anterior a él quien omitió el sujeto de *beraþ* que comenzaba con *f* y dos palabras (una de las cuales empezaba por *f*) con el significado de 'armas'; es probable que por haplografía. Es una lástima, porque ese sujeto podría haber sido *Frysan*, o *Finnes þegnas*, y de tenerlo ante nosotros habría aclarado muchas cuestiones. Así las cosas, lo que podemos hacer es dejar dos hemistiquios en blanco, igual que Chambers. (Si se quiere rellenarlos, la opción más neutral es *feorhgeniðlan* // *fyrdsearu fuslic*.)[5]

5*-6 *fugelas singað, gylleð græghama.* Esta es una variación astuta del acompañamiento convencional de animales y aves antes de una matanza (cf. *Brunanburh* 64), combinado con el

4. [Sobre los paralelismos célticos de estos primeros versos, véase P. L. Henry, *The Early English and Celtic Lyrics* (1966) 216-21; Patrick Sims-Williams, «"Is it Fog or Smoke or Warriors Fighting?": Irish and Welsh Parallels to the *Finnsburg* Fragment», *Bulleting of the Board of Celtic Studies xxvii* (1976-8) 505-14.]

5. [C. W. M. Grein, *Beovulf nebst den Fragmenten Finnsburg und Valdere* (Cassel, 1867).]

frío presagio del alba (el grito de los pájaros, el aullido de los lobos). Las palabras *gyllan* y *græg* se aplican a los lobos y a las cotas de malla, pero *fugelas singað* parece dirigirse a los lobos (incluso si colocáramos una palabra como *flanbogan* en los hemistiquios que faltan, *fugelas* no podría interpretarse como 'flechas'; «pájaros del arco» es un *kenning* escáldico fuera de lugar en el estilo «eddaico» del Fragmento). Además, *græg* puede aplicarse a la cota de malla, pero no (probablemente) *græghama*, que significa '(el) de pelaje gris' (*bahuvrihi*). Digo «probablemente» porque *græghama* podría significar solo «pelaje gris», cf. *feðerhama* (NA *fjaðrhamr*). Cf. *Bjarkamál* (fragmento), que es un llamamiento a las armas:[6]

> Hjalti: Dagr er upp kominn,
> *dynia hana fjaðrar,*
> mál er vílmögum
> ar vinna erfiði.

8 *waðol* 'deambular', una expresión tomada del aparente movimiento veloz de la luna cuando pasan por delante nubes delgadas. No proviene del sustantivo *wāð*, originalmente 'caza', en inglés antiguo 'deambular', sino que es cognado del AAM *vadel* (aplicado a la luna), relacionado con el AAA *vadalōn*, que está relacionado con el AAA *wallōn* (IA *weallian*) 'deambular' igual que el IA *staðol* es a *steall*. Este delicado uso de la luna para reforzar la sensación del pasaje podría compararse

6.   [Jónsson, *Skjaldedigtning*, B i 170].

con la carga de los hombres de Niðað hacia Wolfdale para capturar a Weland en el poema eddaico *Völundarkviða*:[7]

> nóttum fóru seggir,
> negldar váru brunjur,
> skildir bliku þeira
> við enn skarða mána.

8-9 Aquí encontramos las primeras pistas que pueden ayudarnos a resolver nuestros problemas. El lenguaje no es normal; por lo común, los actos no «logran» nada; y el *willað* es destacable. De forma bastante literal: «ahora comienzan tristes actos, que lograrán (pretenden lograr, están pensados para que logren) esta enemistad de las gentes». Esto parece indicar con claridad que hay algún tipo de disputa detrás de los acontecimientos, y que los defensores piensan en el peligro de dicha disputa, incluso aunque no lo hayan comentado (en partes anteriores del lay), como es posible. Fijémonos en que no es *folca*, lo que implicaría un conflicto entre pueblos, sino *folces*, lo que implica un conflicto dentro de un único pueblo;[8] ¿estamos hablando simplemente del vasallaje general de Finn? Cabe destacar también el uso de *ðisne*, y no *ðisses*.

Nið es, por desgracia, una palabra vaga que es difícil concretar. Es mejor interpretarla como un odio fiero que como tristeza. Fijémonos en que «ðisne folces nið» no es 'la aflicción

---

7. [Jónsson, *Eddukvæði*, i 187-8.]

8. [Aquí hay un vínculo, que a Tolkien parece haberle pasado por alto, con el verso 1124 del Episodio; véase la nota más abajo, pp. 179-183. Cf. también «folces hyrde» en el verso 46.]

de este pueblo': los versos no significan 'actos que van a traer-
nos aflicción aquí', sino 'actos que van a poner un fin amargo
a la conocida amargura de este pueblo'.

10 Cf. *Bjarkamál*:[9]

> Vaki ok æ vaki
> vina höfuð
> allir ena œztu
> Aðils ofsinnar.

11 Cf. *La batalla de Maldon* 4 y 20, y sobre todo *Exodus*
215 y ss.: «habban heora hlencan, hycgan on ellen» es harto
probable que se trate de una referencia al Fragmento, o un
acervo común. Este pasaje del *Exodus*, y el hecho de que la
corrección obvia de *landa* por *linda* no acaba de encajar en el
metro, le hace a uno aceptar *hlencan* (en cuyo caso es probable
que la corrupción sea anterior a Hickes).

12 *þindað*. Esta es en realidad la versión de Hickes, no
windað.[10] *Windað* habría ofrecido una simpática aliteración

---

9. [Jónsson, *Skjaldedigtning*, B i 170.]

10. [En realidad, en el texto de Hickes aparece *Windað*: véase Bruce
Dickins, *Runic and Heroic Poems* (Cambridge, 1915) 65. En la primera
página de la primera parte de su *Thesaurus*, Hickes incluye su *Alphabetum
Anglo-Saxonicum*, donde ofrece dos símbolos equivalentes a *TH* y dos equivalentes a *W*. Los dos símbolos equivalentes a *TH* son Ð y Þ. Los dos símbolos equivalentes a *W* son variantes del anglosajón *wynn*: el primero se
parece a un triángulo rectángulo con el lado más corto en la parte superior;
el segundo tiene una forma más normal, asemejado, sin llegar a ser idéntico,
a Þ. Al imprimir sus textos, Hickes utiliza siempre Ð para *TH*, nunca Þ; en
el caso de *W*, casi siempre utiliza el *wynn* triangular, pero a veces también el

cruzada, pero 12b es de tipo C con un *wesað* no enfático, y, por tanto, *þindað* también se subordina por énfasis a *orde*. En otros contextos, *þindan* significa «oleaje»; pero ese tipo de palabras tenían una tendencia semántica en inglés antiguo (y otros idiomas) a adquirir el significado de «orgullo», o «ira». Cf. *belgan*. *Toþindan* se registra con el sentido de 'ser arrogante'. Se traduce por 'sed orgullosos'.

13 Sin duda, parece que el 13a de Hickes «ða [...] ðegn» contiene el principio de un verso y luego (tras una omisión) «goldhladen ðegn» el principio de otro; sobre la aliteración de *gyrde*, cf. «gyrede hine Beowulf» (*B*. 1441b). Sería necesaria una reescritura completa para restaurar el original. «Goldhladen ðegn» podría considerarse de tipo E (cf. «mundbora wæs» 2779) sin leer [*gum*]*ðegn*, que, tras asumir una laguna antes de *goldhladen*, complica demasiado las cosas. «Ða aras [of raeste rumheort] maenig» (Holthausen)[11] es la mejor reescritura. Fijémonos en «goldhladen ðegn»: los defensores eran nobles, el *comitatus* de un príncipe poderoso.

15-17 Sobre estas personas, véase el análisis de los nombres más arriba, pp. 52-57. Nota: hay dos puertas. El uso del plural en el verso 16 no tiene ningún significado especial; cf. verso 20, y compárese el NA *dyrr* (siempre pl.) usado para la entrada; similar al latín *fores, valvae*.

---

wynn más normal, que puede confundirse con *Þ*. Este es el símbolo que utiliza aquí y en *Wrecten* (verso 25). Si en el verso 12 se lee *þindað*, debe ser como corrección.]

11. [F. Holthausen, *Beowulf nebst dem Finnsburg-Bruchstück* (Heildeberg, 1905-6).]

17 *him.* Si colocas una coma después del *sylf,* se traduciría por 'Ordlaf y Guthlaf e incluso Hengest los siguió (es decir, siguieron su ejemplo)'; *him* se referiría a Sigeferth y Eaha. Así lo puntúa Klaeber, y así supongo que lo traduce (y, aunque no sorprenda, con *hwearf* concordando solo con el último sujeto mencionado a conciencia). Es más natural omitir la coma y asumir que *him* se refiere a Ordlaf y Guthlaf. «Hengest sylf» era quizás tan importante que es destacable que fuera hacia la puerta tras ellos, actuando como una suerte de general, apostando hombres; sin embargo, su importancia podía ser más bien personal, no de rango. Pero «on last» no implica inferioridad: en el verso en IA equivale simplemente a 'detrás, tras'.

18 Hickes *styrode.* Esta es una forma tardía errónea de *styrede* 'agitado, conmovido'; pero 'alentarlo para que no haga algo' es improbable. Por tanto, o bien se ha omitido algo tras el verso 19 (en el verso 20 tenemos un verbo plural *bæron* que debe corregirse a *bære*), o bien aceptamos *styrde* 'contenido'; que la exhortación era negativa resulta bastante claro por el «swa freolic feorh». Con todo, *styran* con este sentido exige un dativo, y de ahí que los editores acaben finalmente optando por *Garulfe, styrde* y *bære.* De estos supuestos errores, *Garulf* puede deberse a Hickes, que no tuvo cuidado con la -*e* final (el metro exige *Garulfe*);[12] *styrode* es más probable que ya estuviera presente en el manuscrito original.

En cualquier caso, y con toda probabilidad, el significado es que Guthered contuvo (estaba conteniendo, trató de contener; un sentido que suele dar a entender el pasado en IA) a Garulf

---

12. [El argumento métrico no es del todo convincente; véase p. 60, nota al pie 9.]

para que no se precipitara con su preciada persona. Vemos una situación similar en el *Waltharius*, donde un joven Patafrid (uno de los doce robustos soldados de vanguardia de Gunther) es advertido por su tío Hagano (el hermano de su madre) de que no ataque a Walther, y este también le advierte de que no se acerque.[13]

20 *bære*. Hickes *bæran*. Independientemente del origen del error, debe de ser una confusión con *bære* porque, si se pretende hacer un ataque, ese consejo se le puede ofrecer a una persona especial, pero no a muchas.

25 Hickes *þrecten*.[14] Esto probablemente sea Hickes en estado puro: þ es como la *wynn*, la *c* es como la *t* y la *a* no es diferente a la *u*. Léase *wreccea*, como la aliteración también exige. Sobre la fuerza exacta de la palabra, véase más arriba, pp. 105-108. Implica 'héroe, campeón' (como el A. *Recke*), pero también en inglés antiguo 'exilio', casi 'paria'. Es importante aquí, porque nos impide dar definitivamente por sentado que el *Secgan* en total estaba bajo el mando de Sigeferth. Tal vez fuera un *wreccea* por viejas tragedias («weana dæl», *B*. 1150) y haya recuperado su posición, o tal vez no. Parece más bien como si la cuadrilla de Hnæf fuera un grupo inusual de vikingos sin ninguna asociación territorial demasiado definida.

29-30 Hickes *Celæs borð*. Es bastante evidente que *borð* debería ser *bord*. *Celæs* es inexplicable. La corrección habitual es *cellod bord*, pero *-læs* no se parece en nada a *-llod*, y *cellod bord* solo aparece en *La batalla de Maldon* 283, y su significado y

---

13. [Karl Strecker, *Ekkehards Waltharius*, Segunda edición (Berlín, 1924) 45-7.]

14. [En Hickes aparece *Wrecten*; véase p. 86, nota al pie 9.]

derivados son bastante desconocidos. No malgastaremos tiempo en cuestiones que en el fondo no afectan al significado. Resulta bastante claro que aquí tenemos un epíteto corrupto (u olvidado) aplicable a un escudo.

Banhelm debe de ser nominativo, un paralelismo o una simple expresión equivalente de *cellod bord*. *Sceolde* sg. no es decisivo contra *banhelm* como nombre de un arma distinta. La palabra solo aparece aquí, así que no queda más que elucubrar. ¿Podría significar *ban-helm* 'pantalla de los huesos (o el cuerpo)', equivalente a 'escudo'? ¿Podría significar 'yelmo con cuernos', de los cuales hay algunas evidencias arqueológicas? ¿Podría incluso significar *bar-helm* 'yelmo-jabalí'?

«Cenum on handa». Hickes *genumon*, un buen ejemplo de los errores de Hickes. *Cenum* implica a los guerreros: los escudos temblarían en sus manos.

33 Sobre la cuestión de la genuinidad de *Guðlaf,* que tal vez debería corregirse por *Guðluf,* véase más arriba la lista de nombres.

34 Este verso no ha llegado a aclararse de una forma que sea tanto satisfactoria como paleográficamente probable. En Hickes encontramos lo siguiente:

Hwearflacra hrær.   Hræfen wandrode.

No es necesario que profundicemos en él, pues es evidente que no afecta a nuestro problema; es una descripción convencional de un combate con equipo. *Hrær* es claramente *hræw*. *Hwearf-* debe de ser (según las normas de la aliteración) con toda probabilidad un sustantivo o un adjetivo. Esto descarta la mayoría de las correcciones que se proponen. Quizás debería ser *hwearf* 'multitud' o *hwearflic* 'activo' (!). La mejor lectura es *hwearflicra hræw* (Grein2, seguido por Sedgefield, Klaeber, etc.)[15] 'los cuerpos de los valientes', equivalente a «godra fæla». Sobre *hræw* como equivalente de *wæl* cf. «Andreas» 1031, «ær þan hra crunge».

36 *Finn[e]sburuh*. Véase p. 29, nota al pie 1.

39 Hickes «Ne nefre swa noc hwitne medo. Self forgyldan». La corrección generalmente aceptada es *swanas* en lugar de *swa noc*. No se ha observado lo suficiente que aquí *swanas* es prácticamente un hápax. En verso no aparece en ningún otro lugar, y si aceptamos la corrección, nos vemos obligados también a asumir que, como *scealc, ceorl, eorl, hyse, hæleþ*, etc., se utilizó en poesía (aunque no se haya registrado de otra forma) como una palabra para «hombre», es decir, con un sentido más general. En prosa significa 'porquero'. Este uso poético sería un ejemplo más del enfoque del vocabulario poético en IA al escandinavo; este uso de *swan* se acerca más al NA *sveinn* que al inglés antiguo. En nórdico antiguo, *sveinn* significa 'chico, muchacho, paje, escudero'; si la corrección es correcta, nos interesa la última. El SA *sven* significa 'porquero'. El AAA *svein* significa 'sirviente, pastor'. Es probable que la asociación especial de *swān* con «swine» 'cerdo' sea tardía en inglés antiguo y sajón antiguo, y es posible que se deba a la sonoridad; cabe la posibilidad de que las palabras *swīn* y *swān* no estén relacionadas etimológicamente. Es más probable que, en su origen, *swān* estuviera relacionado con el pronombre reflexivo (IE

---

15. [C. W. M. Grein, *Beovulf nebst den Fragmenten Finnsburg un Valdere* (Cassel, 1867); W. J. Sedgefield, *Beowulf* (Manchester, 1910); Klaeber, *Beowulf.*]

swe- se-); cf. *swǣs* 'lo propio, querido'. Por tanto, **swaina-* significaría 'que pertenece al hogar de uno, criado personal'.

En cualquier caso, el metro parece exigir algún sustantivo que comience por *s*; pero el verso es extraño, y la corrupción (posiblemente en una época anterior a Hickes) no es improbable, ni siquiera la pérdida significativa de contenido. La dificultad no acaba de resolverse con la corrección de *hwitne* por *swetne*. El epíteto incierto no es probable como corrupción del obvio *swetne* y (aunque solo hasta el siglo XVIII) el epíteto «blanco» lo encontramos aplicado al hidromiel. Una reconstrucción posible podría ser la siguiente:

> Ne nefre swanas   sel forgyldan
> Hwitne medo   [heardgesteallan].[16]

43 Por desgracia, no tenemos ni mucho menos claro quién es el «wund hæleð», ni en qué bando estaba. Lo más probable es que sea un atacante (un «frisón», si se quiere, aunque esto más bien evita la cuestión) y el «folces hyrde» (46), el líder de los atacantes, probablemente Finn como señor de las tribus reunidas. Hay, por tanto, una pausa diferenciada en «duru heoldon» (42), y el texto debería imprimirse con el salto de párrafo en «Ða» (43). Esto es bueno, porque esto pone de relieve las significativas palabras «hig ða duru heoldon» justo antes de la pausa. Creo que es factible que el «wund hæleð» sea un atacante, aunque en el estado presente del fragmento uno

---

16. [Sobre un paralelismo de este pasaje, véase *Beowulf* 2633-8; sobre paralelismos célticos más cercanos, véase P. L. Henry, «Beowulf Cruces», *Zeitschrift für vergleichende Sprachforschung* lxxvii (1961) 140-59, pp. 154-6.]

no puede descartar la posibilidad de que sea un defensor que se dirige a Hnæf.

Si el «folces hyrde» se refiere a Finn, podría ser que uno de los atacantes hubiera echado a correr desesperado y se hubiera dirigido a Finn para decirle que era imposible entrar por la fuerza. El rey (Finn) se preguntaría entonces qué clase de milagro mantenía aún con vida a los defensores a pesar de las numerosas heridas (que sin duda les habéis infligido vosotros); algo irónico, aunque por parte de Finn, no de Hnæf, como supone Chambers.[17] Una ironía de este tipo estaría muy fuera de lugar en boca de un guerrero que lidera a una valiente minoría. También pregunta cuál de los dos jóvenes guerreros ha luchado con más valentía en la defensa, ¿Hengest o Hnæf? Esto encaja razonablemente bien con *B.* 1084. Si el «wund hæleð» es un defensor, el «folces hyrde» debe de ser Hnæf, y es probable que la pregunta no sea más que un gesto atento («¿cómo les va a mis hombres a pesar de las heridas?»); es difícil deducir quiénes pueden ser los *hyssas*.

La primera sugerencia es la más probable porque le da sentido a «hig ða duru heoldon», «hu ða wigend», etc. Resulta bastante claro en el Episodio, por vago que sea el resto, que el tema principal del relato era una defensa heroica e inesperada de unos pocos contra muchos, con trágicas pérdidas en el lado atacante que forzaron una tregua. Hnæf acabó muriendo, pero no en el Fragmento.

17. [Wyatt y Chambers, *Beowulf,* 162; véase también S. B. Greenfield, «"Folces hyrde", *Finnsburh* 46b», *Neuphilologische Mitteilungen* lxxiii (1972) 97-102. Compárese con el uso de *folces* en el verso 10 y en *B.* 1124.]

45 Hickes «Here sceorpum hror». 'Activo en su armadura' no tiene sentido en el contexto, que claramente es una queja por el estado inservible de las armas. Compárese la exclamación de Hjalti (Hilato) en la traducción que hace Saxo del *Bjarkamál*:[18] «Por desgracia, las espadas y venablos han destrozado ya mi escudo, y el acero codicioso ha devorado poco a poco el fragmento arrancado en la batalla [...] del escudo roto no quedan más que las correas del brazo». Compárese también la situación en la última batalla de Ólafr Tryggvason:[19]

Ólafr konungr Tryggvason stóð i lypting ('caca') ok skaut optast um daginn, stundum bogaskoti, en stundum gaflökum, ok jafnan tveim senn. Hann sá fram á skipit, ok sá sína menn reiða sverðin ok höggva títt, ok sá, at illa bitu; mælti þá hátt; "hvárt reiði þér svá slæliga sverðin, ere k sé, at ekki bíta yðr?" Maðr svarar: "sverð vár eru slæ ok brotin mjök".

En ese caso, léase «heresceorp (pl) unhror». *Unhror* no aparece en ningún otro lugar, y *hror* suele aplicarse a personas; su sentido es 'valiente, poderoso' (etimológicamente, 'activo, ágil'). No son, en ningún caso, objeciones definitivas. Las palabras usadas con los luchadores se transmiten con facilidad a las armas. Cf. «fyrdsearo fuslic» (*B.* 2618) 'galante'. El ejemplo clásico es *cene* 'noble' – 'arrojado' – 'afilado'. La acentuación *héresceop un | hrór* (tipo E) tiene precedentes: cf. «se þe unmurnlice · madmas dæleþ» (*B.* 1756), «þæt is undyrne · dryhten

---

18. [Müller, *Saxo*, 105-6; Holder, 65; Elton, 79. Cf. también Müller, 96; Holder, 61; Elton, 74.]

19. [*Ólafs saga Tryggvasonar* c. 109, en *Heimskringla*, i 363.]

Higelac» (*B.* 2000). Técnicamente, el acento debería recaer en *un-* como «compuesto-sustantivo», pero a pesar de esa razón lógica adicional para acentuarlo, es evidente que el *un-* negativo no se solía acentuar (como *ne*), debido en parte a la influencia de la palabra simple y en parte al ritmo de las frases. En IA, nos encontramos a menudo con que es una forma si acentuar. Cf. «the únknown warrior» 'el guerrero desconocido', «into the unknówn» 'hacia lo desconocido'; cf. también el NA *ó-* acentuado, *ú-* sin acentuar.

No podemos más que elucubrar, en vano, cómo derribaron a Hnæf y cómo terminó la batalla. Pero sí podemos tener clara una cosa: que el incendio exitoso que hizo que los defensores salieran al exterior no era una característica del relato, pues en ese caso la historia habría terminado como *La batalla de Maldon*, no con un superviviente (¿*wealaf*?) resistiendo hasta el amargo final, hasta que se acuerdan unos términos honorables.

El episodio

Aquí nos enfrentamos a las verdaderas dificultades; ¡cada verso rebosa de ellas! Hay varias razones que lo explican: desconocemos el relato; el esfuerzo especial de comprensión que ha hecho el poeta y que oscurece el lenguaje; nos vemos obligados a analizar cada detalle con atención; es una advertencia conveniente para que veamos lo poco que sabemos cuando lo estudiamos de cerca. Las dificultades comienzan con la pregunta de en qué momento empieza en realidad el Episodio: ¿en el 1068 o en el 1069?, ¿debemos entonces corregir el 1068? Sabemos a partir de «leoð wæs asungen» (1159) que lo que tenemos, por desgracia, es un lay citado. Incluso si ignoramos el inusual «fore Healfdenes hildewisan», donde «Healfdene hildewisa» es Hrothgar (aunque tenemos motivos para sospechar que este nombre se incluyó a propósito aquí, por algún tipo de vínculo con el nombre de la tribu de Hnæf), nos enfrentamos a las dificultades siguientes: ¿dónde comienza la cita del lay?, ¿cómo interpretamos «Finnes eaferum»?, ¿cómo puntuamos los versos 1067-70? Estas preguntas nunca han recibido una respuesta satisfactoria. En mi caso, sospecho que el texto puede estar incluso más corrupto de lo que se suele suponer, por ejemplo con dislocaciones y misiones de más de un verso. Con todo, y tomando el manuscrito de que disponemos (con la alteración «Healfdene» 1069, sugerida más abajo), las cuestiones siguientes parecen claras:

(1) En el 1068, el metro es correcto tal y como está; pero el añadido de una palabra corta, como *be* o *mid*, sería posible al principio del verso.[20]

(2) *Eaferum* es un dativo plural y no puede analizarse en absoluto, tal y como está, ciertamente no como un «dativo comitativo», es decir, que por sí mismo signifique 'junto con los *eaferan*'. Encontramos dativos comitativos en inglés antiguo (estrictamente hablando, es un instrumental), pero solo cuando la palabra en dativo es en sí misma una palabra de «compañía», como *trum*, *þreat*, *hos*, *corþor* y similares; cf. en la prosa en SO «lytle werede» 'con una pequeña tropa' (*Crónica*,

---

20. [No sería posible; la anacrusis no se utiliza cuando un hemistiquio de tipo A está formado por dos palabras bisilábicas. Véase A. J. Bliss, *The Metre of Beowulf* (Oxford, 1958) 40-43.]

año 878). *Eaferum*, por tanto, requiere una preposición precedente (por ejemplo, *be* o *mid*), o debe corregirse a *eaferan*. No sabemos por qué el escriba omitiría la preposición *be* (o *mid*), si es el caso, pero, de hecho, los dos escribas de este manuscrito tienden a omitir muchas palabras sin razones contextuales evidentes.

(3) *Mænan* debe de significar aquí 'mencionar, recordar, nombrar', y no (a) 'representar, significar, pretender' ni (b) 'lamentarse, quejarse'. *Mænan* 'mencionar' suele analizarse así: con el acusativo de lo que se menciona (o una cláusula que lo expresa), y, por lo general, la audiencia introducida por *fore* 'ante, en presencia de' (como en 1064; cf. «mænan fore mengo» en el *Widsith* 55 y *Riddle* 20.11-12); si hay un dativo presente, puede ser instrumental (como «gieffum mænden» 'en layes', *Guthlac* 1233).

Por tanto, debemos decidir entre las alternativas siguientes:

(a) «[…] healgamen […] mænan scolde, Finnes eaferan, ða hie se fær begeat». (Comienza el lay.) Esto es, podría interpretarse que *mænan* tiene (por zeugma) dos objetos: un lay para entretener a los presentes en el salón, mencionando a los hijos de Finn.

(b) «[…] healgamen […] mænan scolde. Mid Finnes eaferum […]». Esto es: '[…] debe recitar un lay'. (Comienza el lay.) 'Con los hijos de Finn, cuando el terrible ataque los sobrevino, Hnæf estaba destinado a caer'.

(c) A partir de Klaeber (sin su coma innecesaria en *scolde*): «[…] healgamen […] mænan scolde be Finnes eaferum, ða hie se fær begeat». Comienza entonces la cita del lay, más o menos con forma de lay, aunque ya se ha tratado sobre parte de su tema en el preludio: 'debe recitar un lay en el salón sobre los hijos de Finn [...]'.

Yo me inclino por la (b). En mi opinión, (a) y (c) están abiertas a la objeción de que implican que el interés principal del lay es la caída de los hijos de Finn. Y, por lo que se cita más adelante, ese no parece ser el caso.

Una variación de (c) sería aceptar *be*, pero colocando un punto en *eaferum* y comenzar la cita del lay con *Ða*. No es necesario que la cita comience en el inicio de un verso. Heremod entra en mitad del verso 902; Sigemund, en mitad del 874. Creo que «Ða hie se fær begeat» debería pertenecer al lay citado; pero esta opción está abierta a las mismas objeciones que (a) y (c). *Scolde* (*be*) es un error más fácil de asumir que la omisión de *mid*; con todo, seguiría inclinándome por (b) de entre las opciones posibles. De hecho, estoy bastante convencido de que la omisión de, al menos, un verso entero es de verdad más probable que la omisión de una preposición. Además, antes de la larga cita (pensada para representar dramáticamente, aunque no al detalle, un lay real), esperaríamos alguna frase que contuviera *cwæð* 'dijo' o su equivalente. La inserción en la tercera edición de Sedgefield,[21] «cwæð him ealdres wæs ende gegongen | Finnes eaferum», es el tipo de cambio que se precisaría.

1069 Aquí en nuestro texto aparece «hæleð healf dena hnæf scyldinga». Esto es una indicación más que evidente de que el nombre *Healfdene* se asociaba con los *Hocingas*. Además, el uso

---

21. [W. J. Sedgefield, *Beowulf*, Tercera edición (Manchester, 1935).]

del nombre *Scyldinga* para Hnæf es indicador suficiente de la relación entre las familias, incluso si el uso no es históricamente correcto. Como no disponemos de medios para juzgar si lo es o no, es legítimo y sensato asumir que el uso es correcto, y que el poeta sabía de lo que estaba hablando.

Pero no hay ni rastro en ningún otro lugar de *Healfdene* pl.; es decir, de un nombre tribal o familiar con esa forma. En el *Widsith*, se dice que Hnæf lidera a los *Hocingum*, no a los *Healfdenum* (verso 29). Además, aunque un nombre propio (como *Beowulf Geata* o *Hnæf Scyldinga*) o una palabra plural (como *bearn* 'niños, hijos' o *leode* como *Geata leode*), que entonces suele ir en segunda posición, pueden combinarse con un nombre tribal o familiar en genitivo plural, la expresión «hæleð Healfdene» no es natural. Por tanto, creo que es más que probable que «hæleð Healfdene» sea un error; no, como tantas veces se ha supuesto, un error o «innovación» del poeta del *Beowulf*, sino un error del escriba, y de los más comunes, la atracción de terminaciones. Esta idea la refuerza el hecho de que *healf* y *dena* se escriben (como de costumbre) separadas, mientras que *dene*, la palabra habitual en IA para 'daneses', aparece cerca de *Scyldinga*, un nombre con el que se lo asocia constantemente y con el que el escriba podría suponer que debería concordar en caso. En conclusión: supongo que el poeta quería decir «hæleð Healfdene Hnæf Scyldinga» 'el bravo Hnæf Healfdene de la casa de los eskildingos'.

1070 *Freswæle*. Esto es una alteración del manuscrito, pero también una corrección deliberada y claramente correcta de un error (introducido por el mismo escriba). Sin embargo, es una advertencia de que también pudo cometer errores que no se han corregido. En mi opinión, este nombre («La matanza frisona» o «Matanza en Frisia») es sin duda el título del lay, o el nombre tradicional de los trágicos acontecimientos que trata. Debería utilizarse en lugar de fantasiosos títulos modernos como «La batalla de Finnesburg».[22] Lo que sigue es un resumen de un lay o lais que tratan sobre una serie de acontecimientos y situaciones llamados el *Freswæl*.

107 y ss. Los cuatro versos siguientes son aún más ambiguos. Las dudas principales son: (1) ¿cuál es la fuerza de la frase negativa «ne huru» […]?, (2) ¿cuál es el sentido de *treowe*?, (3) ¿cuál es el sentido de *unsynnum*?, (4) ¿quiénes son los *eotena*, y de qué lado están?

La (4) aún no podemos responderla. Son sin duda las mismas personas a las que se hace referencia en los versos 1088, 1141 y 1145; ya hemos encontrado un sesgo en contra de 'gigantes' y firmemente a favor de 'jutos' (más arriba, pp. 90-100).

(1) «ne […] þorfte». Cf. 1674, 2363, 2873, etc.

El tipo que ilustran los versos 2363 y 2873 ('no tenía motivo para'; por lítote, 'tenía motivo para hacer lo contrario') tendría aquí el sentido de 'Hildeburh no tenía motivo para alabar la *treowe*', es decir, tenía buenas razones para maldecirlo (porque no era *treowe*, sino otra cosa).

El tipo que ilustra el verso 1674 no nos ayuda: significaría que Hildeburh no tiene necesidad de alabarlo porque no ha tenido ocasión de hacerlo. El contexto y la expresión *ne huru* muestran que no podría mostrarse tan pasiva ante algo tan vital como la *treowe*.

Nos vemos obligados por tanto a asumir que (a) Hildeburh no tenía motivo para alabar la *treowe* porque le había hecho

22. [Véase también p. 29.]

mal, aunque sin duda fuera *treowe*; o (b) que Hildeburh no tenía motivo para alabar la *treowe* porque tenía razones para maldecirla; no era *treowe*, sino traición. (b) es la que suele darse por supuesto. Creo que (a) es, coincidiendo con otras cuestiones de las que hablaremos más adelante, una interpretación mucho más probable de las palabras tal como aparecen en estos versos. Como Williams afirma con razón,[23] no hay prueba directa de ningún tipo de que en la historia aparezca alguna situación de traición (la idea de que sí podría aparecer se debe a la búsqueda de un chivo expiatorio para Finn), mientras que tanto en el Fragmento como en el Episodio resulta evidente que la *treow* o «lealtad» era una parte fundamental de la historia.

(2) *Treow* podría significar o bien la lealtad personal de los eotenos (por ejemplo hacia su líder) o su fidelidad a un acuerdo entre pueblos. La primera es más probable si vemos en *treow* una alusión a ese punto crucial de la historia, la lealtad de los hombres de Hnæf. Y fijaos, ¡los eotenos (jutos) comienzan a aparecer en el bando de Hengest!

(3) *Unsynnum* es un hápax, pero tanto la colocación del prefijo negativo *un-* a un sustantivo abstracto y el uso de un sustantivo abstracto en dativo plural como adverbio son características más que probadas en inglés antiguo. Cf. *unwearnum* 'sin obstáculos' de *wearn* 'oposición'. *Synn* significa 'crimen, ofensa', de modo que *unsynnum* significa 'sin ofensa', es decir, sin conocimiento culpable por parte de Hildeburh.

1074 «bearnum ond broðrum». Es discutible si estamos ante dos singulares, dos plurales, o un plural en el caso de *bearn*, pero este no afecta (hasta donde sabemos) al meollo del

23. [Williams, *Finn Episode*, 29.]

problema. «Eaferum» (1068) favorece el *bearnum* plural; «sel-fre sunu» (1115), a la luz de la confusión de las *u/a* finales en el *Beowulf* y en general con el acusativo plural de este palabra, es por desgracia incierto. La razón de esta duda es que, al descender del uso dual del indoeuropeo, el plural (en lugar del dual) se usaba en ocasiones para ese tipo de pares (el uso de *dvandva* en sánscrito), cf. latín *veneres cupidinesque*. La sensación lingüística que subyace a esta construcción sería que la pluralidad implícita en la totalidad se extendió, por una cuestión puramente gramatical, a todas las partes. Cf. «æt his lices heafum» en *The Dream of the Rood* 63, que creo que significa 'ambos extremos', es decir, 'cabeza y pies'.

«On gebyrd» 'como era su grupo', aunque posiblemente 'en sucesión'; cf. «Solomon and Saturn» 386, «ac sceall on gebyrd faran | an æfter anum».

1076 Aquí podemos aceptar, como es costumbre, el argumento de Chambers[24] de que *lindplega* es la batalla del Fragmento, y que «syþðan margen com» no supone ninguna discrepancia real entre el Episodio y el Fragmento; pero podemos permitirnos analizar los argumentos de una forma ligeramente distinta. Es cierto que no sabemos lo bastante sobre (a) la historia o (b) la relación del Fragmento y el Episodio (aunque las probabilidades de que pertenezcan a la misma tradición y coincidan en cuestiones tan esenciales como la duración de la batalla son enormes) como para afirmar si la solución es «se enteró del asunto, que había estallado por la noche, a la mañana siguiente» o «se enteró de las crueles ejecuciones del último ataque (teniendo en cuenta que en el Fragmento ha habido más de uno) a la

---

24. [Chambers, *Introduction*, 259-60.]

mañana siguiente»; pero es improbable que *morþorbealo* no debería implicar la muerte de algunos de los combatientes (de Hildeburh se dice que «meteodsceaft bemearn»): es el significado recto de la palabra. Cf. «morðbealu» (136).

Seguimos sin tener razones suficientes para pensar que hubo dos noches de ataques; pues ¿quién son los *magas*? Parece que siempre se da por sentado que son de la parte de Hildeburh. En efecto, *mæg* en inglés antiguo suele significar 'pariente de sangre' (no 'pariente político' como en nórdico antiguo), y podría utilizarse con Hildeburh para Hnæf y su hijo; pero también se utilizaba para la relación de sangre real o teórica de los miembros de una tribu (de ahí *mægþ*, *mægburg* 'familia, tribu'). En los glosarios de Épinal y *Corpus*, se utilizan las palabras *meeg* y *meig* para glosar *contribuli[u]s*. Por tanto, lo traduciría por «asesinato vil entre familiares», pero sugiero que eran los eotenos los que eran *magas* en ambos bandos.

«Nalles holinga». Ella tenía razones de peso para lamentarse, pues había seres queridos involucrados; de hecho, si mi teoría es correcta, Hnæf fue en parte el objeto de la ira de los eotenos que no se habían danesizado.

1079 Debemos rechazar sin duda la corrección de *he* por *heo*, y poner un punto en *maga*. «Þær [...] wynne» significa, por tanto, y de forma acorde, 'en su salón real', o (véase p. 166) tal vez, de una forma menos categórica, 'en su fortaleza real', que contiene por descontado al menos un salón completo además de su palacio (véase la p. 186 para el verso 1127).[25] Cf. el paralelismo en el verso 1730 del *Beowulf*, «seleð him on eþle

25. [Wyatt y Chambers, *Beowulf*; Williams, *Finn Episode*, 34.]

eorþan wynne to healdanne hleoburh wera», donde «to […]
wera» define a «eorþan wynne».

1080-81 Estos versos no son complicados, pero es imprescindible comprenderlos correctamente. (a) Los *þegnas* no forman parte de la hueste de Finn, sino que son sus caballeros, los
miembros del séquito de su hogar, los caudillos de las tribus
subordinadas, y los exiliados y aventureros que se han puesto a
su servicio (algunos de los cuales conocemos por el nombre en
el Fragmento). (b) Ha perdido a muchos, pero no a todos. Finn
no se reduce a la impotencia. Sabemos por el Fragmento (verso
38) que solo había sesenta dentro del salón («on þaem meðelstede» (1082) 'en el lugar de la disputa') cuando comenzó la
batalla. Un buen séquito para un rey que se embarca en una
empresa pacífica, pero no un ejército que pueda plantar cara a
un saqueo hostil, ni que pueda asumir una guerra abierta.

1082 y ss. En lo que respecta a *gefeohtan*, sería lógico pensar
que significa 'ganar por combate', un uso muy común de *ge-*
con un verbo intransitivo, que incluso si *gefeohtan* con este sentido no lo encontramos en verso (sí en prosa), los ejemplos
similares con *ge-* son frecuentes; pero aquí tenemos más bien el
uso «perfectivo» de *ge-* 'resolver combatiendo', combinado con
un objeto interno o cognado. La construcción es poética y claramente arcaica. Podemos (por etiquetarla) llamarla «dativo de
desventaja», que no significa más que un dativo usado todavía
con vaguedad en lugar de la construcción tardía, más precisa,
con varias preposiciones. Con un objeto cognado *wig*, que es el
sustantivo común de acción en verso que corresponde a *feohtan*
(*wigan* prácticamente ha desaparecido), los significados 'vencer
por combate' o el perfectivo probable, más antiguo, 'resolver
combatiendo (hasta el final)', se le acercan más.

Apenas cabe duda de que el sentido es 'de cualquier modo resolver la batalla hasta el final con (es decir, contra) Hengest *on þæm meðelstede*'. Fijémonos en las últimas palabras, enfáticas e importantes, 'en ese lugar', es decir, mientras estaban atrincherados en el salón.

1084 La construcción siguiente debe concordar con la anterior: es decir, «þeodnes ðegne» es un dativo similar a «Hengeste», y con toda probabilidad se refiere a la misma persona. De hecho, no veo valor en discutir ningún otro punto de vista.[26]

Wealaf solo se registra dos veces fuera del Episodio. En Wulfstan[27] hace referencia a los supervivientes de la destrucción y el saqueo del lugar (quien reconoce que ha sido un castigo por sus pecados. En los *Metres of Boethius* i 22-3, aparece en un pasaje que se parece un poco más al que nos ocupa.[28] Este fragmento trata sobre la derrota de los romanos a manos de los godos, de la huida de «Cæsar» (*casere*) y de la captura y pillaje de Roma por parte de Radagaiso y Alarico:

26. [Aunque «þeodnes ðegne» se refiere sin duda a Hengest, es mejor verlo como un paralelismo tardío del «Hengeste» del verso 1083, con el verso 1084 como una inserción parentética. Véase Alistair Campbell, «The Old English Epic Style», en *English and Medieval Studies for J. R. R. Tolkien* (1962) 13-26, p. 22, nota al pie 1. Sobre la importancia de esta interpretación para la nacionalidad de Hengest y su posición en la banda de Hnæf, véase el Apéndice C, p. 278-279.]

27. [Dorothy Bethurum, *The Homilies of Wulfstan* (Oxford, 1957) 233, verso 70.]

28. [*ASPR* v 154.] Este metro, dado que trata un tema que también era el centro de la tradición nativa independiente (las guerras de los godos), utiliza sin inspiración pero con una cierta habilidad muchas fórmulas y elementos del lenguaje épico en IA.

Ne meahte þa seo wealaf   wige forstandan
Gotan mid guðe   giomonna gestrion.

'Los supervivientes de la derrota no pudieron entonces por
batalla o fuerza de armas proteger de los godos[29] sus tesoros
ancestrales'. Por tanto, tuvieron que llegar a un acuerdo y pronunciar 'juramentos sagrados» («sealdon unwillum eþelwear-
das halige aðas'), es decir, juramentos de rendición y lealtad a
los conquistadores godos. Este pasaje es decisivo en lo que
respecta al sentido de *wealaf*; también nos muestra que, aunque no sea más que un *laf* (un 'remanente'), podría ser (pro-
porcionalmente a la situación) un grupo considerable e incluir
personas de autoridad con quienes los oponentes podrían tratar; pero no refuerza en absoluto las interpretaciones actuales
de *forþringan*. ¡Justo lo contrario!

El significado de 'rescatar' «que se le suele asignar» (Klaeber)
no se sostiene, ni desde un punto de vista léxico ni contextual.
Klaeber, por ejemplo, se equivoca al afirmar en su nota[30] (a) que
el significado 'rescatar' encajaría sin duda con *oðþringan*, y (b)
que «no es una suposición extravagante que *forþringan*, como
forstandan, construido con acusativo y dativo (instrumental),
tenga el significado de 'rescatar', 'defender', 'proteger'». Tal vez
no sea extravagante, pero es una suposición que solo es posible
si uno no observa los hechos y probabilidades del uso en IA, y

29. *Gotan* podría ser un error de *Gotum* pl., pero *Gota* 'el godo', un
representante singular, se utiliza en el mismo fragmento, verso 9.

30. [Klaeber, *Beowulf*, 172.]

en efecto ignora la cuestión de que *þringan* 'empujar, forzar' no es lo mismo que *standan* 'mantenerse firme'.[31]

Oðþringan aparece siete veces en verso[32] y una en prosa.[33] A esto podría añadirse *ætþringan* en *Andreas* 1371.[34] En los nueve casos, el significado es 'arrebatar (por la fuerza)' algo que pertenece a otra persona, donde la cosa que se arrebata está en acusativo y la persona privada de algo en dativo (ablativo, o dativo de objeto indirecto, de desventaja). El sentido es justo el contrario a 'rescatar'. De hecho, en todos los casos salvo uno (*Daniel* 51) el objeto es 'vida' (*lif, feorh, aldor*), y el verbo significa arrebatar la vida (mediante la violencia, en *Orosius* con veneno) a su poseedor. El caso de *Daniel* se acerca un poco más al del Episodio.[35] Dios inspira a Nabucodonosor el plan de conquistar Israel y tomar Jerusalén:

> þæt he secan ongan   sefan gehygdum
> Hu he Israelum   eaðost meahte

---

31. Además, independientemente del nombre que le demos al dativo gramatical (que se utiliza con *forþringan*, *oðþringan*, *forstandan* y otros verbos con significados similares), no es, en ningún caso, «instrumental». El dativo es o bien 'de, desde' (un «ablativo» de privación) o un dativo de «objeto indirecto»; el efecto de este objeto indirecto puede ser ventajoso o lo contrario, en función del significado básico de los verbos o del contexto.

32. [Los ejemplos son: *Genesis* 1523, *Daniel* 51, *Juliana* 500, *Seafarer* 71, *Fortunes of Men* 49, *Riddle* 88, *Judith* 185.]

33. Sweet, *Orosius*, 136, verso 15.

34. Prácticamente una forma del mismo verbo. Los prefijos se confundían, probablemente por la cercanía de *ot-* (forma átona original de *æt-*) y *oþ-* (forma átona de *ūþ-*).

35. [*ASPR* i 112.]

þurh gromra gang   guman oðþringan.

'[...] cuál era la mejor forma por asalto de enemigos de privar a los israelíes de hombres' (es decir, destruir a sus guerreros y dejar Jerusalén indefensa).

Y aquí acabamos con *oð-þringan*. El significado de *for-þringan* no debería diferir demasiado: con el sentido simple del prefijo *for-* ('lejos') esperaríamos un significado cercano a 'empujar lejos de sí, fuera del paso'; si el prefijo implica un resultado equivocado, injurioso o destructivo, el sentido esperado sería 'conducir a la muerte de forma desastrosa', pero esto no encaja tan bien con la construcción contextual. Sin embargo, *forþringan* solo se ha encontrado una vez en otra fuente, en la *regla benedictina*:[36] «on nanum stowum ne sy endebyrdnes be nanre ylde gefadod, ne seo ylde þa geoguðe ne forþringe» 'en ningún monasterio debe establecerse orden de preferencia en función de consideraciones de la edad (veteranía), ni tampoco los mayores (es decir, los veteranos) deben apartar a la juventud (es decir, los novatos)'.[37] Esta falta de registros probablemente no se deba más que a la casualidad, dado que *þringan* es una palabra de uso común y *forþringan* un derivado natural:

---

36. [Arnold Schröer, *Die angelsächsischen Prosabearbeitungen der Benedictinerregel* (Kassel, 1885-8) 115, verso 7.]

37. [El inglés antiguo es ambiguo, y puede traducirse de otras formas: véase Williams, *Finn Episode*, 166-8.]

aparece en inglés medio[38] y también fuera del inglés.[39] El significado recto, a la vista de los usos del prefijo *for-* y la traducción de *þringan*, sería 'apartar a la fuerza', y ese parece ser el caso.

De momento, debemos conformarnos con traducirlo por 'arrebatar los tristes restos del caudillo del rey (caído)' o 'alejarlos de él' de algún modo.[40]

Hasta ahora, creo que Hengest era juto, y es probable que hubiera jutos a su cargo que conformaran una gran parte, al menos, de los sesenta hombres de Hnæf. Al grupo se lo llama *Dene*, porque ese es el nombre del pueblo de Hnæf, independientemente de si el nombre *Healfdene* apareció por primera vez en Jutlandia por invasión, intrusión o asimilación. El contingente juto que sirve a Hnæf y los daneses es sin duda el

---

38. Sin embargo, solo en el *forrþrungenn* de Orm (verso 6169) 'oprimido' (en prisión), que parece mostrar la influencia del NA *þrunginn* 'oprimido', y en la versión de Winteney (aproximadamente del año 1275) de las *reglas benedictinas*, que prácticamente repiten las palabras en IA [Arnold Schröer, *Der Winteney-Version der Regula S. Benedicti* (Halle, 1888) 129, verso 4.]

39. AAM *verdringen* (alemán moderno *verdrängen*) 'apartar, alejar por la fuerza'.

40. [La relación de *þeodnes ðegne* con *forþringan* parece forzada, y 'arrebatar, separar' no es ni mucho menos lo mismo que 'apartar por la fuerza'. Si tomamos *þeodnes ðegne* como paralelismo de «Hengeste» (p. 155, nota al pie 26), el verso 1084 puede traducirse con más facilidad de la manera siguiente: 'ni tampoco pudo arrebatar los tristes restos combatiendo'. Una posibilidad que merece la pena considerar es que *forþringan* represente una simplificación de *forþ-þringan* 'empujar hacia delante'; de haber existido un compuesto así, la secuencia *-rþþr-* se habría reducido sin duda a *-rþr-*.]

objeto de algún tipo de disputa (Hnæf incluido, probablemente)[41] por parte de los jutos exiliados, desposeídos e insumisos que se han refugiado en la corte frisona, el refugio natural de la opresión danesa, como lo fue Dinamarca para los gautas contra la opresión sueca. Es muy posible que al partir no esperaran encontrarse con aquellos *Eote* enemigos en Finnesburg. En cuanto lo descubrieron, sabrían que tendrían problemas. El ambiente es tenso, y parece que aunque hubieran ido hasta allí mediante una invitación pacífica, esperaban complicaciones («þisne folces nið») antes incluso de que comenzaran.

1085 *Ac* 'pero, por el contrario'; como de costumbre, implica un cambio de rumbo completo. Las *geþingo* son generosas, todo lo contrario a combatir hasta el amargo final.

1085-6 Aquí creo que el texto está ligeramente corrompido y resulta más difícil seguir el significado de lo que podría haber sido. Sin embargo, la versión que se nos da es breve y vaga, y no creo que el escriba la comprendiera del todo.

En primer lugar, me parece al menos indiscutible que fueron los *wealaf*, los defensores del salón, y no los atacantes ni Finn, los que dieron el primer paso y ofrecieron un acuerdo. *Budon* es plural y no puede corregirse. *Hig* 'ellos, ellas' debe por tanto referirse a la última palabra plural, o a una palabra que implique personas: *wealaf*. Pero después de eso creo que es probable que el poeta escribiera en el verso 1086 «þæt he

---

41. No necesariamente. Para decidirlo, deberíamos conocer mejor la historia juta. La disputa de los *Eote* podría no estar relacionada con la invasión danesa, sino centrada en Hengest y en alguno de sus actos; pero el tono del Fragmento rechaza esa idea. Hnæf es la persona hacia la que muestran lealtad. [Véase Apéndice C, p. 278-279.]

(Finn) him (para ellos, los *wealaf*) oðer flete al gerymde». La corrupción se debe sobre todo al hecho de que la cláusula siguiente del acuerdo propuesto («þæt hie» 1087) tiene un sujeto diferente, *hie* (ellos, es decir, los que lo proponen) y un verbo plural *moston*. La primera cláusula «he gerymde»[42] se le ha asimilado. Compárese el caso claro de corrupción del verso 1101, donde en el manuscrito aparece *gemænden* pl. atraído hacia «hie folgedon» en el verso siguiente, aunque el sujeto real de *gemænde(n)* es el s. «ænig mon». En el *Beowulf* encontramos otros errores con los pronombres *he/hie*.

1087 *Hie* 'ellos, ellas' se refiere a las *hig* del verso 1085. Finn tuvo que prometer que *ellos* (es decir, los que propusieron los términos: los *wealaf*) deberían controlar *healfre*, es decir 'la mitad (de algo femenino)'. Esto, por contexto, debe de ser *heall*. *Wið* es la preposición correcta y normal en inglés antiguo para expresiones como «compartir con».

Este es el quid de la cuestión: ¿quiénes deben compartir el control con los jutos? Puesto que inmediatamente después Finn debe prometer que tratará a los daneses y las tropas de Hengest igual de bien que a los frisones, los «jutos» de esta historia se han equiparado habitualmente con los frisones; pero yo no lo acepto. Mi interpretación es la siguiente.

---

42. *Gerymdon* es subjuntivo, y debería ser al menos *gerymden*, aunque en el inglés antiguo tardío la terminación -*en* del subjuntivo plural se sustituía con frecuencia por -*on*. Los errores en el número de los subjuntivos pasados son especialmente frecuentes en el verso en IA. Tal vez se deba al hecho de que el subjuntivo pasado debió de acabar en la antigüedad en -*i* (más tarde en -*e*) en todos los números, dado que n se perdió después de -*i* [véase Leonard Bloomfield, «Old English Plural Subjunctives in -e», *JEGP* xxix (1930) 100-13.]

Los *wealaf* son los supervivientes entre los caballeros «daneses» del difunto rey Hnæf. Finn no podía separarlos por la fuerza de las armas (*wige*) de Hengest, debido a la matanza de su propio *comitatus* en los ataques del salón (1084). Hengest también estaban en el séquito de Hnæf (no queda claro en qué términos), pero no era danés: era un juto con un *heap* especial propio.[43] Tras la muerte de Hnæf, Hengest siguió naturalmente al mando de su propio *heap* (que solo debían lealtad directa a él, y a través de él a Hnæf). Era, sin duda, un hombre dominante, pero en ese momento estaba también al mando del grupo más unido y quizás más grande entre los defensores que habían sobrevivido: era aproximadamente del mismo tamaño que los *wealaf*, dado que el «otro salón» se compartiría «a la mitad» con los jutos. Una de las preocupaciones principales de los *wealaf* «daneses» era sin duda saber qué haría Hengest ahora que Hnæf había sido asesinado. Entre el «þeodnes ðegne» y el lacónico «ac» del verso 1085 debieron de producirse debates y discusiones entre los defensores. La única esperanza de los defensores, en su conjunto, era permanecer unidos; y parecía que ese sería el rumbo que se tomaría. Fueran cuales fuesen los términos bajo los que Hengest servía a Hnæf (como *þeodnes ðegn*), no estaba dispuesto a hacer un acuerdo independiente con Finn. No podemos más que suponer sus razones. Es posible que se valoraran las consideraciones siguientes: sentía una lealtad y un afecto personales por Hnæf y, por tanto, hacia los «daneses» del séquito de Hnæf; su *heap*, fuera cual fuese su

43. El personaje del caudillo desterrado con su propio ejército privado de aventureros encaja bien con Hengest, el caudillo mercenario de Britania posterior.

tamaño, no podía esperar a huir o defender por más tiempo el salón solos. Y, por encima de todo: no había posibilidad de un acuerdo independiente. *He* (y su *heap*) era sin duda el objeto principal del odio que había provocado el ataque. Buscaban a Hengest, y los atacantes no estaban dispuestos a llegar a un acuerdo con él. De ahí la curiosa expresión, 1082-5, en la que se nos dice que Finn no podía apartar por la fuerza de las armas a los *wealaf* de Hengest. Hnæf y sus «daneses» no eran el objetivo del ataque, pero habían insistido en defender y proteger a Hengest y a sus hombres. De modo que fueron los *wealaf* daneses los que habían iniciado las negociaciones, y mantuvieron desde el principio que la cohesión con Hengest no se había roto. Si les concedían lo que demandaban, un salón independiente en el que no tendría que ver ni cruzarse con los atacantes, deberían compartirlo a partes iguales con los «Eotena bearn». No obstante, a Hengest se lo reconocía ahora (al menos por parte de los defensores) como el líder de los supervivientes. De ahí que veamos que después de que se acordaran y ratificaran las condiciones generales entre los dos bandos (atacantes y defensores en su conjunto), Finn le hace otro juramento a Hengest en persona (1096); y es interesante e importante fijarse en que concierne a los *wealaf*, que claramente en lo anterior no incluye a Hengest ni a su *heap*. Esta es la respuesta de Hengest a la amistad leal de los «daneses». Habían negociado un acuerdo para ayudarlo y habían insistido en que se lo protegiera a él y a sus hombres por igual, pero los había dejado en una situación de humillación y de honor dudoso. Es evidente que su posición en lo que respecta a Hnæf era diferente a la suya: formaban parte del pueblo de Hnæf, eran sus *gesipas* personales, y es probable que hubiera algunos familiares.

De acuerdo con las tradiciones más sagradas del honor no deberían haber llegado a ningún acuerdo con sus ejecutores. No se deberían burlar de ellos ni deberían recibir ningún reproche por ello; se habían visto arrojados a esa situación por pura necesidad.

1095 y ss. En cualquier caso, los daneses están renunciando a su «deber» de venganza por la muerte de Hnæf. Esto puede resultar más sencillo de entender si nos imaginamos que una gran parte de los defensores (¿la mitad, 1087?) eran jutos que solo debían lealtad directa a Hengest; pero en verdad se le buscan dificultades innecesarias. Después de todo, todo esto resulta bastante evidente, e incluso se admite de forma explícita en el tenso episodio (1102) y se dice el motivo (1103). Había grados de deber, un simple sirviente podía ser tan leal como un familiar de sangre, pero el deber de morir en una situación así no podía exigírsele igual que a un familiar de sangre. Además, probablemente estemos tratando con un relato real derivado de la historia, y aquí tenemos un detalle fiel a la historia, que no se ha romantizado en exceso (o, si se prefiere, heroicizado). Hnæf, además, era joven, quizás el último de su estirpe que no había tenido hijos, y no tenían casa alguna a la que ser leales. «Lífit mun ek kjósa, ef kostr er»: esto cita Hrafnkel en un momento en que el orgullo literario podría haberle ordenado que muriera sin rendirse.[44] Decidió rendirse y contraatacar más tarde. Era un personaje lo bastante fuerte, y un buen representante inmejorable del sentimiento pagano del norte. Los defensores se habían desenvuelto tan bien que

44. [*Hrafnkels saga Freysgoða* c. 5 en Jón Jóhannesson, *Austfirððinga Sögur* (*Íslenzk Fornrit* xi: Reikiavik, 1950) 121.]

apenas podían llamarlos «cobardes»; no habían pensado en rendirse en el momento más complicado, cuando debían defender a Hnæf y la defensa parecía fútil. Ellos fueron los que propusieron las condiciones, y eran bastante buenas, si tenemos en cuenta que estaban entre la espada y la pared en una fortaleza extranjera, pero convertirse en *handgengnir* de Finn era inevitable: «swa him geþearfod wæs».

Al mismo tiempo, podría pensarse que la sumisión era más sencilla si se asume que Finn no fue quien atacó primero. Mi teoría no define su posición, ni tampoco cómo llegó a verse involucrado en la disputa, pero es evidente que hacer recaer el peso en los *Eote* como la causa real del alboroto. Es indudable que Finn estaba totalmente implicado en la política juta/danesa: cuesta creer que no estuviera al tanto de sus disputas. Podríamos pensar que su matrimonio con Hildeburh fue un acto político (como muchos matrimonios por aquel entonces, y aún hoy día); y que también tenía relación con los jutos, a los que quizás utilizara como escudo contra los daneses, o favoreciera en secreto las dificultades que provocaban en el norte.

Pero igual que ya hemos deducido (a partir de la teoría de los «jutos en ambos bandos») que Hnæf y Hengest probablemente no estuvieran preparados para encontrarse con exiliados jutos recalcitrantes en la corte de Finn, también podemos deducir que Finn tampoco esperaba encontrarse con el gran trotamundos juto Hengest, objeto de una amarga animosidad o de una gran admiración entre los jutos, con algunos de sus formidables vikingos jutos en el séquito de Hnæf durante su visita en son de paz.

Lo que sí es más difícil determinar es si los jutos de la corte de Finn atacaron indiscriminadamente a los daneses y a Hengest, o si su objetivo era Hnæf (a pesar de Finn), a quien Hengest («¡Eotena treower!») se negaba a abandonar, o justo lo contrario (una disputa puramente juta por razones ahora desconocidas relacionadas con Hengest). La más probable es la primera opción. Compárese el inicio del Fragmento; no hay parlamentos ni ofrecimientos a que salga nadie: el combate comienza en las puertas de inmediato.

Williams dedica una gran parte de sus consideraciones a cómo es posible que los atacantes llegaran al salón principal de Finn:[45] pero ¿fue eso lo que ocurrió? Estaban en Finnesburg, pero es evidente que había más de un salón[46] en los que Finn podía disfrutar de la sensación de poder y gloria reales (1087). Incluso los versos 1079-80 podrían referirse más bien a su fortaleza real, donde habría salones y mansiones, que solo a un salón, su salón real principal. Finnesburg al completo se ilumina con el entrechocar de las espadas y el fuego, no solo el salón de la batalla.

Aunque algún tipo de acto hostil explícito por la noche (un ataque o insulto) podría haber precipitado la catástrofe y haber puesto a Hnæf y a su séquito en guardia, no tenemos razones para pensarlo. Hablamos de una disputa antigua. El simple hecho de ver determinados rostros en el salón de Finn bastaba para advertir a los huéspedes de que «nu arisað weadæda, ðe ðisne folces nið fremman willað» (Fragmento 8-9). Esa elaboración de la historia solo es necesaria si la batalla tiene lugar en el salón principal de Finn; pues ¿qué hacen allí los huéspedes,

45. [Williams, *Finn Episode*, 34-7.]

46. Véase más abajo, p. 184-185, sobre el hecho de que el verso 1127 no contradice esta idea.

sino refugiarse? Es posible que se hubieran refugiado allí por pura precaución, pero tal vez habría sido más lógico que estuvieran en un salón independiente, asignado a ellos como casa de huéspedes. Sin embargo, el hecho de que estén en condiciones de negociar (probablemente con el salón como activo por su parte) y que el salón sea lo primero que aparezca en las negociaciones podría hacernos pensar que la batalla se produjo en el salón real principal de los frisones; ¿se habían refugiado allí porque estaba aislado y era más fácil de defender? O tal vez la situación se pareciera más a la de la trama principal del *Beowulf* (y ahí encontraríamos una idoneidad secundaria del relato): Finn deja su salón en manos de Hnæf y se retira, como Hrothgar, a su *bur*; pero en este caso su hijo duerme con su *eam*.

1095 *hie*, es decir, Finn y Hengest, nombrados inmediatamente después; nótese que ahora Finn y Hengest son iguales.

1096 *fæste frioðuwære*. Esta frase nos recuerda más bien a la afirmación del preámbulo o título del tratado; no tiene por qué referirse a la actitud de ninguna de las partes (¡o a una historia posterior!), 'un acuerdo de paz (que debe ser) vinculante'.

1097 *elne unflitme* 'sin discutir ninguna de las condiciones', probablemente un tecnicismo antiguo al pronunciar este tipo de juramentos.[47]

1098 *weotena dome*. Tal vez no sea más que 'no actuar de forma arbitraria o en función de sentimientos personales', influido, por ejemplo, por la pérdida de sus hijos; dejarse guiar por el juicio de sus consejeros, como un buen rey germánico. No se explicita si Hengest o alguno de los otros señores

---

47. [Véase el análisis del verso 1129 más abajo.]

defensores forman parte de los *weotan* que aconsejarían a Finn, pero es posible; los *weotan* de Finn podrían haberlo convencido de proponer un acuerdo.

1099 La segunda cláusula con *þaet* parece ampliar la primera; explicar de qué forma concreta se los trataría con *ar*. De hecho, el acuerdo, tal y como se nos presenta, está pensado para proteger a los defensores de la ofensa por haber llegado a un acuerdo. Solo esto ya basta para demostrar lo importante que era, con qué intensidad lo sentían los defensores y cómo de evidente es que habían llegado al acuerdo en circunstancias dudosas; pero el relato no está completo, y su intención no es más que ser una representación del acuerdo. Los términos mencionados en las negociaciones (1085-94) se aceptaron sin duda «elne unflitme» y Finn los repitió, pero no había necesidad de que el poeta lo repitiera, aunque lo resumiera.

«þæt ðær ænig mon [...] gemænde(n)»: *gemænden* es con toda probabilidad un simple error (véase el análisis de los versos 1085-6 más arriba) de *gemænde*.

Nadie debía romper el acuerdo (de forma general e imprecisa), pero en realidad se refería a los frisones, pues Finn está prestando juramento, y hay una relación estrecha con el verso 1101, en el que se especifica de qué forma no debía romperse: 'nadie debe por malicia (es decir, con la voluntad de reavivar viejos rencores) hacer referencia a él (algo que se explica con lo que sigue)'. Que «þæt» en el verso 1099 significa 'con la condición de que', y, por tanto, lo que sigue se convierte en un deber explícito que incumbe a todos, queda descartado por el hecho de que Finn está prestando un juramento formal, no negociando (incluso aunque *þæt* pudiera tener ese significado).

1102 'aunque ellos a decir verdad habían jurado servir al asesino de su señor (anterior), se vieron obligados a ello'. La intención de «þa him swa geþearfold wæs» probablemente sea explicar la razón por la que aceptan a Finn; pero dado que estas palabras se ponen en boca de Finn, también suponen el reconocimiento explícito de este de su necesidad (ausencia de cobardía) y la justicia de protegerlos de amenazas.

Suele afirmarse que «beaggyfan banan» podría ser literal, pero no tiene por qué serlo. El paralelismo con el verso 1968 del *Beowulf* (donde a Hygelac se lo llama «bonan Ongenþeoes», como príncipe del reino enemigo y comandante del bando opuesto en la batalla cuando Ongentheow cae, aunque, tal y como vemos en los versos 2961-81, fue Eofor, el *þegn* de Hygelac, quien mata a Ongentheow) bastaría en este respecto; pero debemos reconocer a Finn como el responsable directo de la muerte de Hnæf, pues de lo contrario no aceptaría «beaggyfan banan» en su juramento. Esto es, después de todo, la dificultad principal del problema para nosotros, probablemente debido a nuestro desconocimiento de la historia: es probable que con un breve resumen de los hechos se resolviera la duda de inmediato.

La responsabilidad de Finn significa, como mucho, que su séquito de campeones frisones al completo (así como cualquier juto descarriado u otras personas) debió de participar en algún momento; es incluso probable que Finn estuviera armado y presente, y tal vez (o tal vez no) hubiera cruzado la espada con Hnæf; como mínimo, que los jutos (si estoy en lo correcto, los que inician el ataque) formaban definitivamente parte de su *comitatus* y que la participación de tan solo uno de ellos en el asesinato de Hnæf ya era responsabilidad de Finn (igual que las acciones de Eofor eran un acto de *fæhð* por parte de la casa real gauta contra la casa sueca). Es probable que la verdad se acerque más a la primera, gracias al verso 1081, en que se nos muestra que casi todos los campeones de Finn acabaron muertos, y que su *comitatus* al completo estaba claramente involucrado. Es imposible saber cuál fue la participación real de Finn, pero es evidente, más allá de cómo comenzara la disputa, que el sentimiento frisón estaba más que presente antes de que terminara («Frysna», verso 1104). Sencillamente no sabemos a ciencia cierta cuál era la situación en la corte de Finn como para seguir los acontecimientos al detalle. Creo de todos modos que la explicación más probable es la siguiente:

(a) No estamos ante un caso de una invitación traicionera (como en la cuestión de los borgoñones y los hunos) por parte de Finn, o un acto de malicia por parte de su esposa. Si se revelara una traición por parte de Finn, sería imposible creer las acciones de los supervivientes, por razones prácticas y heroicas: como sabemos,[48] no puedes fiarte de un hombre que rompe un acuerdo y a continuación promete respetar el siguiente. El ambiente del principio del Episodio muestra lo contrario; descartamos a Hildeburh. Su pesar por su hermano e hijo o hijos es evidente. También está el «unsynnum». Además, dado que su primer pensamiento sobre la causa del desastre es «Eotena treower», debemos fijarnos en una parte no frisona.

---

48. [Esta incorporación a lápiz fue probablemente escrita en 1940; en ese caso, la referencia es obvia.]

(b) El asalto, que tal vez sospecharan (debido al inesperado encuentro con viejos rostros en la corte de Finn el día en que llegaron los invitados) y prepararan refugiándose en el salón fortificado, se produjo primero en la parte de los *Eote*. No sabemos con certeza cómo se extendió hasta todo el séquito frisón; pero estos *Eote* formaban parte sin duda del *comitatus* de Finn, de quien era responsable, y probablemente los unieran lazos de camaradería y hermandad con sus camaradas frisones. Los defensores bien podrían haber provocado a los guardaespaldas del rey. Una característica común de los relatos norteños es que un hombre que se mantiene al margen por buenas razones acaba viéndose arrastrado por acusaciones de cobardía. Quizás así es como el joven príncipe juto se vio involucrado (incluso si no era Garulf).

1104 El uso de «Frysna» no menoscaba el argumento de que los *Eote* se encuentran en el fondo del problema. Los sentimientos frisones estaban muy involucrados antes del acuerdo. En cualquier caso, Finn es un rey frisón, y es el responsable principal del comportamiento frisón, aunque, sin duda, el título incluye a todo su *comitatus* personal (incluidos los *Eote*, si es que quedaba alguno vivo; es demasiado suponer a partir de ese «Frysna» que no quedaba con vida ninguno de los *Eote* frisones).

1106 Cuesta creer en la traducción de Williams 'entonces sería la espada,[49] es decir, sería un caso de castigo por muerte. No perdamos demasiado el tiempo aquí. Es evidente que hay algún tipo de corrupción, pero por suerte no es vital. El sentido

49. [Williams, *Finn Episode*, 66-8.]

general es claro; si algún frisón pronuncia alguna palabra desafiante que recuerde al mortal acto de odio, Finn lo castigará con la muerte (no es necesario considerar la idea de que Finn está jurando que en ese caso todo el mundo es libre de pelear; ¡mal consuelo para los *wealaf* aislados!). Probablemente sea necesaria alguna corrección. La mayoría de los editores se han centrado en *syððan*, y en efecto es aquí donde es más probable que esté la corrupción, dado que sería más conveniente un infinitivo transitivo, y la palabra *syððan* es una de las pocas en inglés antiguo que terminan en -*an* sin ser infinitivos. Es probable, por tanto, que oculte un infinitivo. Con todo, es difícil encontrar un infinitivo *s—an* que encaje. Se han sugerido *sehtan*, *seðan*, *seman*, *scyran*, *swyðan*, *snyððan*. *Sehtan* encaja por sentido, pero por desgracia es una palabra tardía, probablemente del nórdico antiguo, y no la encontramos en verso. Desde un punto de vista paleográfico, la mejor es *seðan* (cf. las northumbrianas *seoððan*, *soeðan* en vez de *syððan*); el significado es 'verificar, ser testigo'. Cf. *Salmos 118* 160, «ealle þine domas synt dædum geseðe» 'se llevó a cabo en realidad'. (De hecho, solo *geseðan* aparece en verso en otras fuentes).

Esto es quizás mejor que la propuesta alternativa de Williams: «him syððan scolde» 'debía recibir la espada como resultado'; cf. *B.* 1783, «unc sceal worn fela maþma gemænra, siþðan margen bið». Es aceptable, pero es poco probable que *hit* sea una corrupción. También es mejor que creer simplemente que después de *scolde* hay una laguna.

1107 «Að wæs geæfned». Aquí sí es algo más importante decidir si creemos en ese *að* o si lo corregiríamos. *Að* aparece justo al final del juramento ('se llevó a cabo la toma del juramento'). A simple vista, parece extraño que aquí aparezca *að* y en el verso 1097 tengamos *aðum* en plural, pero es como *Word* sg. (o pl.) para un discurso entero o «dicho». Williams también cita un buen paralelismo del *Orosius* de Alfredo,[50] donde *að* equivale a *aðas*. Por último, pero no por ello menos importante, *að* aparece en el manuscrito.

Hay mucho a su favor, pero no debemos creer a pie juntillas en un manuscrito que ya ha cometido errores probables en los versos 1086, 1101 y 1106 y errores indiscutibles en los versos 1073 y 1104, y todavía cometerá más antes de que lleguemos al fin del Episodio, incluida la palabra *icge* en este mismo verso, una más que probable corrupción.

No creo que hasta ahora nadie se haya dado cuenta de que «að geæfnan» debe significar 'llevar a cabo el juramento'; *að* significa los términos, no la ceremonia, que es *aðsweorð*. Si esto es correcto, no es necesario que nos preguntemos qué papel ejercía el oro en las ceremonias de juramento. Podemos imaginarnos a Finn entregando regalos para curar corazones afligidos a todos los frisones, daneses y jutos por igual, como anticipo de la «igualdad» exigida.

Esto es posible, creo, aunque pronto llegaremos a una escena de pira, y sabemos que las cosas costosas se quemaban (o eso decían las leyendas) en piras reales. En esta narración resumida, no es demasiado convincente decir: «¿Dónde está el oro en la descripción siguiente?», por mucho que sea cierto (como es el caso) que la escena de la pira está reducida en la narración, pero completa, e incluso extensa, en sus motivos o sentimientos elegíacos. ¡Con que se mencione una vez que llevaron oro para adornar la pira ya basta!

50. [*Ibidem* 68; Sweet, *Orosius*, 162, verso 10.]

Por último, *að* por *ad* es una de las correcciones paleográfi-
cas más simples. Podría decirse que después de un párrafo tan
cargado de *wære*, *aðas*, etc., confiaríamos en que nuestro escriba hubiera cambiado *ad* por *að*. Creo que el objetivo del argumento es demostrar que existe un equilibrio muy sólido de
probabilidades a favor de *ad*; si *geæfned* significa 'preparado,
construido'.

Y ese podría ser el caso desde un punto de vista etimológico; su raíz está relacionada con el NA *efni* 'material para hacer
algo'. Aunque el NA *efna* (*efndi*) solo se utiliza con el sentido
de 'realizar' (*efna orð*, *heit*, *sætt*), *efna* (*efnaði*) significa 'prepa-
rar, hacer preparativos'. Este sentido se registra por suerte en
inglés antiguo, en el *Beowulf* y en circunstancias similares
(3106): «ic eow wisige, þæt ge genoge neon sceawiað, beagas
ond brad gold. Sie sio bær gearo, ædre geæfned». Es posible
que esta palabra arcaica (que aparece dos veces en el *Beowulf* y
en ningún otro sitio) no represente por tanto la misma formación que *efnan* en otras partes, sino que derive de **aƀnē-n*, que
se corresponde con el NA *efna(ði)*. Esto podría explicar (por
fusión) la forma sin cambios *æfn-* que encontramos en los dos
pasajes que nos ocupan.

El último argumento lo encontramos con «æt þæm ade»
(1110), que se entiende mucho mejor si *ad* ya se ha mencionado. (Es indudable que ha intervenido el sinónimo casi absoluto *bæl*.) Y cf. *ade* de nuevo en el verso 1114. En definitiva,
creo que hemos probado todo lo posible la corrección a *ad*; de
hecho, la pira es claramente el lastre de este pasaje.

1108 y ss. El resto del funeral no nos dará demasiados problemas. Es el punto central del interés (elegíaco) del poeta, y,
por tanto, y desde un punto de vista dramático, del trovador.

En este caso, es interesante fijarse en lo destacado que es «Here-Scyldinga betst beadorinca» en la escena, así como el uso del título. Refuerza la sensación de que la razón por la que se está cantando esta canción en Heorot está relacionada con el nombre de Healfdene y la casa de los eskildingos.

Tal vez sea exagerado afirmar que este pasaje se ha «expandido elegíacamente» (*elegisch erweitert*):[51] está menos comprimido y se permite detalles pintorescos y conmovedores; igual que más tarde se ofrece una descripción completa, incluso con el simbolismo meteorológico como paralelismo, sobre el estado de ánimo de Hengest: el segundo gran momento del drama.

1117 *earme on eaxle*. ¿Cómo podemos tratar esto? Creo que podemos descartarlo como adjetivo plural que concuerda con *sunu* (y, por tanto, descartar nuestra última esperanza textual de zanjar la cuestión, por fortuna no vital, de la cantidad de hijos). Nos hace falta algo para definir *eaxle*, y es algo complejo comprender el Hnæfes del verso 1114. Tenemos dos alternativas:

(1) «[...] on bæl don. Earme on eaxle ides gnornode, geomrode giddum». 'Lastimeramente lloraba la dama (es decir, antes de entregarlo a las llamas) a su lado (de su hijo o hijos, y posiblemente de su hijo o hijos y hermano), y se lamentó con palabras adecuadas'. Una ligera deformación de la manera en IA (y de la poesía en general) del estricto tiempo-secuencia en un detalle, facilitado en inglés antiguo por la amplitud del rango de tiempo del pasado simple.

51. [Andreas Heusler, *Lied und Epos in germanischer Sagendichtung* (Dortmund, 1905) 11; citado por Williams, *ibidem* 16-1.]

(2) Holthausen presenta la ingeniosa corrección *eame* (el dativo es la expresión correcta) 'al lado de su tío'. Este es un típico error de los escribas; la palabra más pertinente da paso a la más imprecisa, que se parece mucho a la otra, y parece encajar en el contexto con *gnornian, geomrian*. Además, también se ajusta al tono del pasaje el énfasis en el sentimiento de quemar a un sobrino con el hermano de su madre (una relación muy sentida; cabe destacar cómo se menciona en *Maldon*);[52] incluso si, o precisamente por eso, tal como sospechamos, habían caído en bandos opuestos.

En resumen, yo me inclino por la corrección *eame*.

1118 A simple vista, 'el guerrero subido en lo alto',[53] Si el texto es correcto, «guðrinc astah» debe referirse al hijo de Hildeburh. Hnæf ya estaba en la pira. De hecho, «on bæl gearu» (1109) probablemente signifique completa 'tumbado en la pira esperando que la prendieran', pero no, la expresión no suena bien. Está fuera de lugar teniendo en cuenta la sucesión de los acontecimientos: la colocación del cadáver del hijo en la pira (por lo visto una decisión repentina, fruto de la pasión) antes de que la prendieran; el encendido de la pira; las lamentaciones y los quejidos, y sobre todo el lamento especial de Hildeburh, mientras el hedor ascendía y el fuego ganaba intensidad. (Si la comparamos con la cremación de Beowulf, parecería que primero se construyó la *ad* y se adornó con armas y otros tesoros; luego el cuerpo o cuerpos que debían

---

52. [*La batalla de Maldon* 115.]

53. [Es costumbre referirse a la frase en NA «áðr á bál stigi» del *Vafþrúðnismál* 54: Jónsson, *Eddukvæði*, i 82.]

quemarse se colocaron encima del montón y en el centro; y luego se prendió la pira. Los lamentos, inesperados e informales, comenzaron con el encendido, y continuaron hasta que las llamas se extinguieron. Cf. 3137 a 3155, y sobre todo 3143 «Ongunnon [...] bælfyra mæst wigend weccan» hasta «Heofon rece swealg»; y cabe destacar «wudurec astah» 3144). Además, es difícil encontrar paralelismos en inglés antiguo del uso de *astigan* con algo inerte, levantado con las manos: suele aplicarse a personas o cosas (como el sol) que tienen poder de movimiento, o cosas que parecen moverse por sí solas, que se activan y luego continúan solas por su cuenta (el humo, las olas, las plantas); en ocasiones, se utiliza para referirse a cosas altas (como *stiepel*) de las que pueda decirse que se elevan hacia los cielos.

Me resulta complicado resistirme a la conclusión de que *guðrinc* se ha sustituido por *guð-rec*. *Guðrinc* era una palabra familiar (a juzgar por las cuatro veces que aparece en el *Beowulf*, dos en *Andreas* y una en *Maldon*),[54] pero es probable que *guð-rec* fuera un hápax compuesto, en este más que resumido episodio, y que se utilizara para expresar que el humo era el acto final en la terrible batalla.[55]

---

54. [*Beowulf* 838, 1501, 1881, 2648; *Andreas* 155, 392; *La batalla de Maldon* 138.]

55. [La interpretación del manuscrito tal vez podría mantenerse si *guðrinc* se toma como una variación ortográfica de *guð-hring*. Dentro del Episodio encontramos las dos peculiaridades ortográficas necesarias para esta suposición: «ætspranc» (1121) por «ætsprang» muestra un ensordecimiento del *-ng* final, y encontramos una confusión de *r* y *hr* en «(h)roden» 1151. *Guð-hring* podría significar 'espirales de flama y humo'; véase W. J. Sedgefield, *Beowulf*, Segunda edición (Manchester, 1913) 127. Sin embargo, es

La corrección no debería ser en ningún caso una palabra
que signifique 'lamento' o 'clamor'. En primer lugar, porque
guð estaría entonces fuera de lugar: un grito de guerra no sería
un lamento. En segundo lugar, y más importante, porque un
lamento está fuera de lugar en esta situación extraordinaria y
lúgubre. El poema habla aquí explícitamente de la pira de
Hnæf. Allí se colocaron solo los miembros de su séquito, ni
frisones ni aliados. (Esto añade aún más emoción al momento
repentino en que suman el cuerpo del hijo de Finn a la pira del
hermano de su madre.) No se nos dice qué hizo el otro bando
con sus muertos; pero es evidente que si los supervivientes del
bando de Hnæf habían exigido un salón privado, para no tener que vivir ni compartir comida ni bebida con el otro bando, tampoco estarían dispuestos a compartir con ellos una pira
funeraria. Fue Finn quien proporcionó la pira y una gran parte de sus costosos ornamentos, pero los únicos dolientes eran

---

difícil encontrar un paralelismo para *hring* 'espiral', y sin duda es preferi-
ble corregirlo. En cualquier caso, es necesario ajustar la puntuación del
pasaje:

> Guðrec astah,
> wand to wolcnum;   wælfyra mæst
> Hlynode for hlawe.

'El hedor de la carnicería se elevaba hacia las alturas, danzando hacia las
nubes; el más devastador de los fuegos rugía frente al túmulo funerario'.
Esta puntuación conserva el mecanismo estilístico frecuente mediante el
cual un verso termina con un verbo finito y el siguiente comienza con otro
verbo finito paralelo. El mismo mecanismo se ha utilizado poco antes en
los versos 1117-8: «Ides gnornode, // geomrode giddum». Esta puntuación
es la que propone R. L. Hoffman, «*Guðrinc astah: Beowulf* 1118b», *JEPG*
lxiv (1965) 660-7; pero esta interpretación de *guðrinc* no es aceptable.]

hombres: estaban en una tierra extranjera, lejos de su pueblo, y no había mujeres que lloraran o se lamentaran por sus muertos, salvo una, la mismísima reina frisona, la hermana de Hnæf. Pronunció su lamento, pero esta pira no era «wope bewunden» (3146): los sombríos supervivientes permanecieron en silencio.

1120 En el caso de Beowulf, parece ser que el *hlaw* o túmulo en el que se enterrarían las cenizas y otras reliquias de la pira no se levantó hasta después de la cremación, y probablemente a una cierta distancia del lugar de la pira, en un acantilado con vistas a la costa. Se siguieron las instrucciones del propio Beowulf (2802 y ss.): «hatað heaðomære hlæw gewyrcean beorhtne æfter bæle æt brimes nosa». En este caso, el túmulo ya se había preparado, al menos en parte (aunque, por descontado, no se había techado ni cubierto), y estaba cerca del lugar de la pira.

1122 Me resulta evidente que aquí tenemos un error, un cruce entre *lic* y *lig*: «laðbite liges […] lic eall forswealg». No puedo asegurarlo con certeza, claro; pero cf. 2080, «lic eall forswealg». Al revés no sería difícil de justificar. «Laðbite liges» nos da una buena razón para el chorro de sangre, y un genitivo de objeto satisfactorio para *bite* (que en inglés antiguo es un sustantivo deverbal, el acto de morder). En contra de la corrección podría argüirse que también es imprescindible la alteración de *ealle* por *eall* (neutro plural); pero después o durante el cambio, es probable que fuera necesario un *ealle* para proporcionarle un objeto a *forswealg*.

1124 «begas folces». El hecho de que esta colocación no tenga (hasta donde he podido descubrir) paralelismos en inglés antiguo parece haberles pasado por alto a todos los comentaristas, y también a los autores de diccionarios y glosarios. Suele traducirse por 'de ambos pueblos', o el equivalente por sentido 'de cualquiera de los dos pueblos'; pero ese no puede ser el significado en nuestro contexto.

Por lo general, *begen* es un adjetivo numeral, que concuerda en número y caso (plural para el dual) con el nombre correspondiente. En este caso, coincide con *twegen* (con el que rima en todas sus formas declinadas). La diferencia con *twegen* es que este se refiere a dos cosas como parte de una serie indefinida, pero *begen* se refiere únicamente a dos cosas (siendo solo dos de forma natural, como los padres de un hijo único, o por las circunstancias, como los oponentes de un duelo), que comparten por igual la condición o acción que se mencione. A *begen*, por tanto, no lo sigue un genitivo partitivo que dependa de sí mismo, y como genitivo solo concuerda con un sustantivo (expresado o sobreentendido). *Tweg(r)a folca* significa 'of two peoples' 'de dos pueblos/gentes' y *beg(r)a folca* 'of both peoples' 'de ambos pueblos/de ambas gentes', no 'of both of the peoples' 'de ambos de los pueblos/de ambas de las gentes'. La relación aquí es la misma que en *godra folca* 'of good peoples' 'de pueblos buenos/de gentes buenas' y a esto se debe la alteración tardía de la intrusión de la *r* adjetival. *Bega folces*, por tanto, no se correspondería con 'of both peoples' 'de ambos pueblos/de ambas gentes' como tampoco *godra folces* se correspondería con 'of good peoples' 'de pueblos buenos/de gentes buenas'. La intuición del habla moderna puede confundirnos aquí, debido al uso frecuente del partitivo *of* 'de' después de *both* 'ambos', como en *both of them* 'ambos de ellos', equivalente a *them both* 'ellos ambos'; pero el IA *heora beg*(r)a significa 'of them both' 'de ambos' y no 'of both of them' 'de ambos de ellos'.[56]

En el caso que nos ocupa, si el texto es correcto, solo se nos habla de un *folc*, y *bega* concuerda con otro sustantivo sobreentendido que puede inferirse a partir de lo que ha ocurrido antes. La rareza y dificultad de la expresión puede explicarse por la extrema reducción de la narrativa, que se compuso pensando en aquellos que conocían la historia completa (e incluso a ellos les exigía una atención plena). Debemos hacer todo lo posible por determinar el sentido de *folc* aquí, y a qué se refiere *bega*.

Wyatt y Chambers,[57] aunque no hacen comentario alguno, sí consideran que la expresión requiere algún tipo de explicación, y en el glosario traducen *bega folces* por 'of the folk of both [peoples]' 'de la gente de ambos [pueblos]'; pero en *folc* no indica qué sentido debe atribuirse a *folces* aquí. El único sentido que encaja es 'gente' como plural de 'hombre', y, de hecho, la traducción es simplemente el equivalente de 'of both

---

56. Podría considerarse por tanto que el uso de «on twa healfe» en el verso 1095 es significativo, en contraste con «on ba healfa» (1305) y «on ba healfe» (2063). En el Episodio, había más de dos posibles divisiones entre los pueblos involucrados (es decir, daneses, frisones y jutos), pero en las circunstancias concretas del pasaje, el acuerdo se llevó a cabo entre dos bandos (que no tenían en cuenta las divisiones tribales): los defensores que debían lealtad a Hnæf y los que debían lealtad a Finn. En el verso 1305 solo hay dos bandos, daneses (o seres humanos en general) y monstruos; en el 2063, solo se habla de hetobardos y daneses. La diferencia puede notarse con más claridad en inglés moderno si traducimos *twa* por 'two' 'dos' y *ba* por 'the two' 'los dos'.

57. [Wyatt y Chambers, *Beowulf*.]

peoples' 'de ambos pueblos/de ambas gentes', cuya forma natural en inglés antiguo era *bega folca*. El significado vago de 'people' 'gente', es decir, las personas presentes o de las que se habla, sin consideración de sus agrupaciones o distinciones, está bien registrado, pero no en un contexto así, donde esperarías encontrar el significado más preciso de *folc* 'grupo organizado con un caudillo (un *cyn* o *mægþ*)', o un 'cuerpo de hombres bajo el mando de un líder', y, de hecho, suponemos que esa es la palabra «sobreentendida» que iría después de *bega*. También puede observarse que en el texto que conservamos el significado de 'todos los hombres/personas involucrados' ya lo expresa la palabra *ealle* (normalmente interpretada como acusativo plural masculino) 1122; lo que hace que sea todavía más probable que *folces* en el verso 1124 tenga un significado específico, el cuerpo concreto de alguien. De esto han formado parte los caídos.

En la narración resumida, solo se nos describe con detalle la pira de Hnæf (el centro emotivo de la tragedia). Es extraño, claro: este tipo de compresiones siempre lo son, sobre todo para aquellas personas que no conocen el relato completo; pero no es más extraño que una pira a la que se la llama específicamente «Hnæf ad» (1114) fuera la pira comunal para todos los caídos, amigos y enemigos. Creo, de hecho, que es más probable que en el resumen solo se mencione la pira de Hnæf, hasta el final del verso 1124 (*scacen*). Ahí terminan los ritos fúnebres, como se intuye en el 1125 y ss.; pero no se nos cuenta lo que ocurre con los atacantes caídos. En ese caso, *bega folces* se refiere al hecho (ya lo bastante evidente en la cláusula del tratado que estipula que el «otro salón» lo compartirán dos grupos distintos entre los defensores) de que el séquito de

Hnæf incluye hombres de dos «tribus» diferentes. [*Bega folces* debe de significar 'of both sections of the people' 'de ambas secciones del pueblo/de la gente'; *folc* se refiere a los defensores bajo el mando de Hnæf, y las «dos secciones» son los daneses y los jutos].

1125 Llegamos ahora a una parte que ha desconcertado a menudo a algunas personas. Merece la pena recordar el comentario de Williams.[58] Numeraré y resumiré algunas de sus ideas:

(1) 1125-7: aquí debe de haber alguna referencia sobre el cumplimiento del acuerdo y de la partida hacia «oðer flet»; es decir, los defensores deben de estar incluidos en *wigend*; *heaburh* debe de ser su nuevo salón.

(2) «freondum befeallen» encajaría sin duda con todo («sume on wæle crungon!»), pero es especialmente adecuado para los *þeodenlease*.

(3) Pero, si están incluidos, ¿por qué se mezcla el importante hecho de que vayan a otro salón con la acción anodina (por inevitable, y porque es innecesario describirla) de los nativos?

(4) Si vemos en *wigend* solo a los defensores, resolvemos la mayor parte de las dificultades de las palabras, y la necesidad de creer que *Finnesburh* no se encontraba en Friesland y en una suerte de visita general para investigar Frisia.

Chambers creía que *Finnesburg* no estaba exactamente en Frisia.[59] Ya hemos visto que no puede demostrarse solo con el

---

58. [Williams, *Finn Episode*, 78-82.]
59. [Chambers, *Introduction*, 258-9.]

nombre; pero tampoco niega que pudiera estar en Frisia, igual que *Etzelnburg* no es el nombre legendario natural del *ham ond heaburh* de Atila.

De hecho, la importancia del salón y el hecho evidente de que Finn fue al fin abatido en el mismo salón que en el verso 1147 se llama «his selfes ham», «þær he ær mæste heold worolde wynne» (1079), demuestran que debía de ser su residencia real habitual y, por tanto, no es en absoluto probable que fuera una fortaleza periférica; pero (¡sobre todo en Frisia!) sí podía estar, y, de hecho, estaba, junto al mar. Es probable que los huéspedes apenas conocieran Frisia, ni siquiera la capital o la fortaleza reales, hasta que la batalla concluyó y se declaró la paz. No puede afirmarse de forma inequívoca que '(se marchen del funeral y) partan a visitar las moradas y a descubrir Frisia, las fincas y el alto *burh* o fortaleza' (no 'capital'; no hay ninguna necesidad de traducirlo así).

No me convence.

Es cierto que *burh* no es una 'ciudad' o 'pueblo' en este tipo de inglés antiguo, sino un lugar fortificado, pero es muy arriesgado asumir que es lo mismo que *heall*. La fortaleza incluye más de un edificio. A simple vista, es improbable que *heaburh* se refiera a algo más que *Finnes Burg*; es decir, no es un *burh* «capital» distinto, más importante. Por la razón de peso anterior, que *Finnes Burg* sin duda parece ser *selfes ham*, y no es probable que otro *burh* sea la *hea* ('capital' o 'principal') en contraposición. Pues *hea(h)burh* sí significa '*burh* principal', así como '*burh* elevada (situada a una altura elevada)'.

¿Es posible que *hamas* (plural) y *heaburh* sean solo formas poéticas de referirse a *Finnes ham*, es decir, *Finnesburg*? Es muy probable, pero ¿puede entonces uno decir que partirá y lo visitará (a menos que el funeral se haya celebrado en un lugar muy lejano, cosa poco probable)?

Un acertijo endiablado. Se nos ocurren varias soluciones posibles. Los *wealaf* tal vez se hayan marchado a visitar y elegir su nuevo alojamiento, a distancias muy pequeñas, quizás; pero esto es muy improbable. Sería algo extremadamente arriesgado. Lo lógico sería que quisieran alojarse rápido en un buen salón; «oft seldan hwær [...] bongar bugeð» (2029-31).

Yo me inclino por no ver en el pasaje ninguna referencia concreta a la ocupación de otro salón. Pues no veo razón alguna para suponer (a) que estaba fuera de *Finnesburg* o (b) que Finn retenía a Hengest como si de un rehén se tratara, separado de su *heap*, algo que no concuerda con el tono del acuerdo, y mucho menos con mi solución; mientras que (c) Finn era el señor de ambos, y había *dogra gehwylce* para tratar a ambas partes por igual; es probable que se encontraran en el mismo lugar, aunque alojados en espacios distintos. Era como un obispo con dos sedes y catedrales adyacentes.

Los guerreros de Finn (y también los demás) parten entonces del funeral, aún llenos de tristeza por los compañeros caídos, algunos hacia los *wicas* remotos de Frisia, otros a *hamas*, y otros incluso al mismo *heaburh*: *hamas* no está relacionado con *heaburh*, sino que se contrapone. Es indudable que los tres (*wicas*, *hamas* y *heaburh*) estaban muy cerca, en una misma isla, por ejemplo, y el grueso de sus fuerzas permanecieron sin duda en el *heaburh*; pero es evidente que confía en el acuerdo y su sinceridad (lo cual refuerza la idea de que la disputa no formaba parte de sus planes, y hace que la pérdida progresiva de sinceridad por parte Hengest, que vendrá poco después, sea mucho más significativa).

El único punto débil de esta hipótesis es el uso de «Frysland geseon» con los nativos, pero no es demasiado grave.

1127 y ss. Con esta parte —en la que Hengest (y no tanto sus acciones como sus motivos) es sin ninguna duda el tema más importante, al menos para el autor de nuestro «resumen», y quizás también para el antiguo autor del lay— nos enfrentamos a unas dificultades casi tan tentadoras como las anteriores:

La parte del «invierno y la primavera» no es fácil de interpretar.

Los versos 1140-1 son ambiguos y vagos, y probablemente lo seguirán siendo (aunque tal vez en mi teoría sea algo premeditado: véase más abajo, p. 202-203).

¿Qué significa *woroldrædenne*? ¿Y cómo interpretamos *Hunlafing*?

¿Cuál es el referente de *æfter sæside* del verso 1149?

Con todo, sentimos cómo vamos perdiendo el interés. No es tan fácil ponderar y sopesar los pros y los contras. ¿Por qué? Porque a estas alturas el problema central se ha resuelto... o no. Resulta bastante evidente cómo termina el desastroso relato: Hengest, a pesar de los juramentos (y de ahí la significativa ironía dramática de los versos 1095-6 y 1129) rompe finalmente el pacto y, con ayuda extranjera (porque no podría ser de otro modo), mata a Finn, destroza el salón y el *burh* y regresa, ya fuera de la historia. Los detalles no son más que detalles.

Sin embargo, no es necesariamente cierto que aunque Hengest y sus motivos sean el tema principal de la segunda mitad del Episodio, esto arroje luz sobre lo ya visto y lo convierte en el tema principal de todo el fragmento.

No negaré que sea una figura de poder («Hengest sylf» en el Fragmento) a lo largo de todo el pasaje: como líder de los guerreros de Hnæf, sin duda una piedra angular de la defensa si lo supiéramos todo, y el que mantuvo unidos a los defensores tras la caída de Hnæf. Es muy posible que fuera del mismo molde heroico que Bryhtwold,[60] y en el pasaje de las negociaciones podríamos tener razón al sospechar que fueron los *Dene*, y no Hengest ni su *heap*, los principales responsables de que se acordara una tregua antes de que cayeran todos muertos (aunque la lealtad, el decoro y la presencia de Hengest hizo que exigieran los mismos términos para su *heap*, los *Eote*, que para ellos): pero ¿con qué pruebas reales contamos para convertir ese carácter predominante en una figura siniestra? Su carácter «demoníaco» debe probarse independientemente de la traducción de *Eotena bearn*, y no darlo por sentado solo porque se traduzca (de forma inverosímil) por 'hijo de gigantes'.[61]

De hecho, la lealtad es lo único (una lealtad extrema por sus juramentos y su palabra) que podemos encontrar sobre su carácter y su función en el relato, más allá, claro, de su imprescindible valor. La clave está en *Eotena treowe*, y el poeta se ha esforzado por demostrar su conflicto interno al verse atrapado y forzado a olvidar la muerte de su señor o a vengarla. Sobre cuál era su vínculo explícito o tácito con Finn, véase más abajo, p. 188-189: no sabemos con certeza si era un juramento permanente de lealtad. Creo que si comprendemos

60. [Véase *La batalla de Maldon* 309-19.]

61. [No he sido capaz de encontrar esta frase exacta; pero esa traducción la encontramos implícita en Williams, *Finn Episode*, 92.]

esto, habremos terminado la parte principal de la «consideración» del lugar de la última parte del Episodio en el «problema».

1128 «wælfagne winter». No se describiría el «invierno»
como *wælfagn* si el *Freswæl* no se hubiera producido técnicamente en invierno. Creo que es bastante erróneo suponer que
lo que impedía que el *wealaf* y el *heap* de Hengest alzasen velas
era el acuerdo. No hay nada que lo demuestre, y sí mucho que
lo refute, y supone una dificultad innecesaria más acerca del
verso 1148.

En este sentido, «wælfagne winter» es de una gran importancia. Podemos, sin ninguna presión indebida, aprender
mucho de esta expresión. El *wæl* tuvo lugar en «invierno»;
esto es, a finales de año, probablemente hacia el fin del período en que todavía era factible y probable una visita por
barco. No debemos concebirlo según nuestro propio (bastante vago en el uso popular) año cuatripartito: primavera,
verano, otoño e invierno. El verdadero año germánico del
norte se dividía en verano e invierno (cf. nuestro uso de uno
u otro hoy día como equivalente de «año»). El verano comenzaba hacia lo que ahora llamamos abril, y finalizaba a
mediados de lo que llamamos. Y así funciona aún hoy día en
Islandia. Existía una palabra en germánico antiguo (indoeuropeo) para 'primavera' (NA *vár*): *hærfest* era la cosecha de
los cultivos, un período agrícola más que estacional, y parte
del verano.

Pero esto apenas afecta al uso técnico de *winter*. Es probable que la llegada de los huéspedes (un rey con un séquito de
sesenta caballeros elegidos por él, incluidos príncipes como Sigeferth) en invierno se deba a una invitación formal, dado que

la situación parece excluir la posibilidad de una visita sorpresa o con intenciones hostiles. No pretendían volver a casa hasta la primavera. Su intención era sentarse a beber con Finn hasta que terminara el Yule.

Esta intención no cambió, aunque sí se añadió el tiempo inclemente de (finales de otoño o) las primeras tormentas invernales, y debemos entender el acuerdo solo como la exigencia de que Finn los protegería y trataría con ellos como amigos durante el período de la invitación original, mientras estuvieran obligados a permanecer en aquellas tierras. Esto, sin duda, hace que el acuerdo sea mucho más inteligible. La difícil relación no debía ser permanente. Sin duda, ya fuera de manera explícita o implícita, uno de los dos bandos debía de haber enterrado definitivamente el hacha de guerra, pero esto no se nos muestra con claridad en ningún sitio. Ya hemos comentado que probablemente fueran los defensores quienes presentaron los términos, y, en cualquier caso, en ningún lugar se les pide formalmente que juren nada. Como mucho, se han convertido técnicamente en «seguidores de Finn» (1102), parte de su séquito, por un tiempo. Es una situación concebible que aquello era lo máximo que podía esperar cada bando.

(1) Finn apoya a sus feudos y les entrega los presentes habituales a los *wealaf*, que por otro lado son *þeodenlease*, y los protege de una afrenta inaceptable; era, en cualquier caso, su anfitrión (cf. *gist* 1138).

(2) Los *wealaf* pasan a ser (al menos de forma temporal) sus hombres, hasta que puedan marcharse. Después de eso, es indudable que Finn se creía capaz de cuidarse por sí mismo,

«ac him leigh se wrench»,[62] porque la venganza llegó antes de que el grupo entero se hubiera marchado. Creo que es aquí, como veremos más adelante, donde radica la explicación de los versos 1142 y ss. Aquí también radica la ruptura de la lealtad: y Hengest el leal, probablemente el que había jurado con menos convencimiento, no se nos presenta como el siniestro impulsor del perjurio, sino como el perjuro más reticente. No les queda otra que incitarlo, por mucho que hubiera barajado la idea mentalmente (el primer paso imprescindible para caer en la tentación, héroe o no).

1129 «finnel unhlitme». No es necesario que nos entorpezca el problema textual. Es evidente que se ha omitido algo; y es igual de evidente que significa 'sinceramente (celosamente) y según lo acordado (o por compulsión)'. Cf. 1097. Es probable que el escriba lo pronunciara «Finn' eln' unhlitme»: Williams tiene razón en lo que respecta a un error en que «pronunciar las palabras mentalmente» ha afectado al escriba,[63] a lo que se suma la rareza de las palabras.

Sobre -*hlitme* cf. *hlytm* 3126: «næs ða on hlytme hwa þæt hord strude», que podría significar 'no se dejó en manos del destino' (es decir, no era posible echarse atrás) o 'no era cuestión de azar', estaba todo dispuesto (esta última, propuesta por

---

62. [Aparentemente, una alusión a la obra del siglo XIII *Proverbs of Alfred*, versos 160-3: «Monymon weneþ // þat he wene ne þarf, // longes lyues; // ac him lyeþ þe wrench!» 'Muchos hombres esperan lo que no tienen derecho a esperar, una larga vida; ¡pero esa falsa noción los engaña! Véase W. W. Skeat, *The Proverbs of Alfred* (Oxford, 1907) 18-19.]

63. [Williams, *Finn Episode*, 83.]

Williams, creo que no encaja en el contexto). Esto, en cualquier caso, nos ofrece una clave sobre su formación: está relacionada con *hleotan*, si es que no se trata simplemente de una corrupción de la frase «elne unflitme» (1097). Solo hay dos significados posibles:

(1) 'desafortunadamente, infelizmente'; esto implica el abandono de *elne* y la adoptación de la forma *eal*, mucho más pobre desde un punto de vista paleográfico.

(2) 'no por causa de azar, premeditado', dativo adverbial de *hlythm* 'echar a suertes' con la partícula negativa *un-*.

Creo que esta última opción es forzada, a pesar de la superioridad paleográfica de *elne unhlitme*. Creo que debemos escoger entre *elne unflitme* y *eal unhlitme*. La última es mejor porque de *hlytm* sí encontramos ocurrencias, de hecho en el *Beowulf*, y nos ahorramos el espectáculo del escriba enfrentándose a «elne unflitme» en el verso 1097 y el destrozo absoluto del 1129.[64]

64. [Muchos editores actuales aceptan la corrección [*ea*]*l unhlitme*, pero la relación de este hemistiquio con el verso 1097a presenta dificultades, que aparecen bien delimitadas en J. L. Rosier, «The *unhlitm* of Finn and Hengest», *Review of English Studies* N. S. xvii (1966) 171-4: «Se me antoja altamente improbable, sin embargo, que en una narración limitada no demasiado extensa nos encontremos con una construcción sintáctica casi idéntica, dejando a un lado la corrección aceptada de *eal*, dos palabras inusuales o difíciles de forma muy parecida. [...] Nuestra presunción o predicción sería que es muy posible que la similitud de forma y construcción indique que en realidad solo hay una palabra, con una ligera confusión por parte del escriba en el otro caso. [...] Desde un punto de vista

estilístico, lo que prueba la construcción paralela (*elne unhlitme, eal unhlit-me*) de estos versos es el hecho de que el poeta solo se refiere a Hengest y Finn por el nombre en estos dos lugares (1096b: "Fin Hengeste"; 1127-8: "Hengest [...] mid Finne")». Su argumento es convincente, pero los argumentos que defienden la lectura de *unhlitme* en ambos casos también defienden la lectura de *elne*, sobre todo si tenemos en cuenta que *eal* no aparece en el manuscrito; además, como destaca Tolkien, *elene* es una opción mucho más satisfactoria desde el punto de vista paleográfico. La mejor opción parece ser leer *elne unhlitme* tanto en 1097a como en 1129a: en 1097a, el escriba se equivoca al escribir *unhlitme*; en 1129a, le ocurre lo mismo con *elne*. Merece la pena destacar que en la primera aparición se nos describen las acciones de Finn, y en la segunda, las de Hengest; parecería entonces que el poeta está trazando algún tipo de paralelismo entre las situaciones de los dos personajes principales del Episodio.

El significado de *unhlitme* se ha debatido largo y tendido. Todos los comentaristas recientes coinciden con Tolkien al relacionarlo con el sustantivo *hlytm* 'fortuna' (*B.* 3126), pero apenas existe consenso sobre el significado de esa formación. Rosier se inclina por 'sin posibilidad de decisión', algo que no dista tanto de la 'sin otra opción' de Dobbie (*ASPR* IV 177); Fry (*Finnsburh*, 22) arguye, no obstante, que «'sin lanzar los dados' debería ser lo opuesto a 'no tener opción'. Lanzar los dados deja el resultado en manos del azar, y, por tanto, *un-hlitme* debería significar, por lógica, 'no por azar', es decir, 'voluntariamente'». J. F. Vickrey propone el mismo significado, aunque por razones distintas, en «The Narrative Structure of Hengest's revenge in "Beowulf"», *Anglo-Saxon England* vi (Cambridge, 1977) 91-103. Vickrey sostiene que la raíz de *hlytm* se asociaba en la Inglaterra anglosajona con el sortilegio, y que la connotación suele ser la de 'destino' o 'necesidad'; *unhlitme*, por tanto, debería significar 'no por necesidad', es decir, 'voluntariamente'. Ni Fry ni Vickrey leen *unhlitme* en el verso 1097, y en efecto el significado de 'voluntariamente' no encajaría en ese contexto, dado que el poeta nos dice que no podía expulsar a los *wealaf*; no tenía más opción que aceptar las condiciones. En el verso 1129, el significado 'voluntariamente' exige el rechazo de la corrección habitual en el verso 1130: Hengest permaneció 'voluntariamente, a pesar de que pudiera manejar su navío de proa ensortijada por el mar'. Es agradable poder conservar la lectura del manuscrito, pero no es fácil explicar la relevancia de 1131-7. Vickrey afirma que el pasaje es completamente simbólico y no tiene relevancia literal; pero su argumento apenas convence.

Leer *elne* en lugar de *eal* en el verso 1129 posibilita interpretar *unhlitme* como un adjetivo en lugar de como un adverbio, como en el paralelismo cercano «elne unslawe» 'con profundo fervor' (*Guthlac* 950). En este caso, *unhlitme* pertenecería al numeroso grupo de adjetivos desustantivales a los que se añade el prefijo *un-* y una *-e*, modificándolo cuando sea relevante; el significado suele traducirse en inglés moderno por 'without' o '-less' 'sin'. De esta forma, *ungielde* 'sin compensación', *unscende* 'sin vergüenza'; *ungrynde* 'sin fondo', *unmæle*, *unwemme* 'sin mancha/impoluto', *unwene* 'sin esperanza'. Dado que «azar» es fácil interpretarse también como «azar favorable», como en las palabras *suerte* o *fortuna*, *unhlitme* podría significar 'sin suerte', es decir, 'condenado'. Podríamos alcanzar el mismo significado de otras formas, basándonos en la afirmación de Vickrey de que la raíz de *hlytm* se asociaba con el sortilegio y, por tanto, con el destino. El prefijo en IA *un-* puede tener a veces un sentido peyorativo más que negativo, como en *undæd* 'mal acto' (*Juicio Final II* 58), *unræd* 'mal consejo' (frecuente en el *Genesis*); si *hlytm* puede significar 'destino', *unhlitme* significaría, por tanto, 'condenado'.

La traducción 'con un coraje condenado' es muy adecuada para el verso 1097: fue una decisión valiente que Finn accediera a las condiciones de una compañía de guerreros a la que acababan de enfrentarse sus hombres y que no podían marcharse de allí hasta que terminara el invierno; pero las consecuencias fueron desastrosas. La traducción no parece tan adecuada en el 1129: no puede decirse estrictamente que Hengest cometiera un acto valeroso al permanecer con Finn durante todo el invierno, dado que tampoco tenía posibilidad de marcharse. Se refiere más al compromiso que a su cumplimiento: fue igual de valiente que Hengest propusiera los términos que el hecho de que Finn los aceptarse, y el resultado fue un baño de sangre para ambos. El poeta, al repetir la misma frase, llama la atención

1130 «þeah þe». Esto podría significar 'si'. Cf. IA *ic nat þeah þu wene þæt...* 'no sé si piensas que...'; *uncu þeah þe he slæpe* 'no se sabe si está dormido'. 'Pensaba en su patria, (sopesando) si...'.[65] Con esto nos ahorramos la necesidad de introducir un *ne* en el verso 1130.

No lo tengo claro. Los paralelismos no son tan buenos como parecen a simple vista, y *ne* podría omitirse, sobre todo delante de *meahte*. 'Aunque' es también más contundente y sensato. Debía de saber que el trayecto era imposible tanto por el tiempo como por el acuerdo.

En ese caso, podría parecer que *ne* es imprescindible, pero sigue siendo posible ver que ese «þeah þe» introduce una «condición imposible». Cf. «þonne andwyrdan þa yrfenuman swa he syld sceolde þeah he lif hæfde»; 'suponiendo que hubiera estado vivo, pero ya no lo estaba', donde esperaríamos *þeah... næfde* (y en efecto casi podemos sospechar que se trata de un error del manuscrito).

1131 y ss. La función de este pasaje es doble:

---

hacia los predicamentos similares de Finn y Hengest. Cada uno de ellos, enfrentados a una situación tremendamente complicada, hace lo más sensato, pero al hacerlo desafían los dictados del código heroico y renuncian a su deber de venganza; el resultado es precisamente el que habían tratado de evitar, la reanudación del letal combate. No sería difícil argüir que la «moraleja» del relato de Finn y Hengest es la insuficiencia o extrema rigidez del código heroico, que no permite excepciones en circunstancias especiales y difíciles.]

65. [Williams, *Finn Episode*, 88-9; J. M. Burnham, «Concessive Constructions in Old English Prose», *Yale Studies in English* xxxix (1911) 33-4.]

(1) En primer lugar: la explicación de por qué Hengest (y compañía) no alzó velas, al menos en cuanto sanaron sus heridas. ¿Por qué alargarían una situación tan incómoda? El hecho de que dicha explicación sea necesaria basta, en mi opinión, para demostrar que incluso si contáramos con un poema del *Freswæl* completo, el pacto no incluiría ningún tipo de cláusula que estableciera que los «defensores» se convertirían en hombres de Finn para siempre, que el juramento les impidiera abandonarlo, obligados a permanecer a su lado. Deduzco que podían marcharse por separado o en grupo. El invierno se lo impedía, era imposible capear las tormentas, acompañadas por el frío gélido de las aguas del norte: pero la primavera llegó para ponerle fin al invierno, como ocurre aún hoy día.

(2) En segundo lugar: sin duda (como ocurre con tantos efectos poéticos) algo en gran parte inconsciente: un símbolo o paralelismos de los ánimos de los hombres, los vientos de sus pesados corazones, el hielo de su inactividad forzada y la estancia en una tierra hostil; la primavera representa la liberación de las pasiones una vez más, la oportunidad de entrar en acción, el momento en que se sacian los amargos sentimientos del duelo.

Es ingenioso porque no hablamos de un mero simbolismo. El invierno físico en sí es una parte fundamental del argumento, la causa principal de la situación, además de su alegoría.

Para mi propósito, esto es más importante que la interpretación de los versos 1134-6. El comentario de Williams sobre estos versos es bueno, y merece la pena tenerlo en cuenta, pero por lo general me baso en Klaeber, salvo por el estúpido comentario de «una afirmación trivial de un hecho objetivo»; eso no existe en nuestro Episodio, ni tampoco podemos acusar al autor a la ligera de que ocurra en otros lugares.[66] El hecho de que la primavera llegue para colmar los corazones cansados tal vez sea muy reconocible, pero no es trivial. El antiguo poeta no cayó en ese error pobre de despreciar la verdad solo porque fuera tan evidente y potente como para que la hubieran observado otras personas antes que él.

El hecho de que *deð* sea bisilábica no prueba que su plural sea *dōð*; el singular podría ser *dōið*: cf. 1058 para un paralelismo similar. Los cambios de número no se aceptan con tanta ligereza en el *Beowulf* como Williams afirma [tal vez *deð* debería corregirse por *doð*]. Además, aunque *wuldortorhtan wede* es sin duda 'primavera', y no un simple equivalente de 'año', es posible interpretarlo como sujeto, no como objeto, de *bewitiað*. Por último, *sele* es mejor como 'ocasión, estación esperada y correcta' en ese contexto. Cf. Exeter *Gnomic Verses* 50-51: «Sortm oft holm gebringeþ, geofen in grimmum sælum».[67] Que se traduciría, por tanto: 'until another year came into the world of men, even as it yet does (o they do), spring weathers gloriously bright that continually observe the season(s)' 'hasta que llegó otro año al mundo de los nombres, como ocurre todavía hoy, tiempos primaverales de un magnífico brillo que observan continuamente las estaciones'.

1137 «fundode». Aunque en determinados contextos este verbo podría traducirse por 'apresurado', en realidad siempre significa 'estar *fus* en una dirección determinada de mente (y cuerpo)', y no necesariamente implica que se haya tomado todavía acción alguna ni se haya hecho ningún movimiento en

---

66. [Williams, *ibidem* 89-90; Klaeber, *Beowulf*, 175.]
67. [*ASPR* iii 158.]

la dirección deseada. Cf. «we fundiaþ Higelac secan» (1819-20). Podemos traducirlo por 'vamos a ver a Hygelac' en inglés coloquial moderno, pero no ha habido todavía, como es obvio, ningún movimiento. Significa 'estamos impacientes por marcharnos'. La pregunta es: ¿qué significa «of geardum»? ¿Y la siguiente frase significa 'él no viajó, sino que dedicó su entusiasmo a pensar en la venganza' o 'en sus acciones el objetivo de venganza era más predominante que viajar, un simple medio para un fin'? Es probable que la respuesta correcta sea una combinación de las dos opciones. Viajar era un medio necesario para un fin, y eso se hizo, pero Hengest no participó (porque la venganza se había convertido en el pensamiento dominante, y de haber partido todos se habría descartado la esperanza práctica de alcanzarla).

Es probable que «of geardum» se refiera simplemente al lugar donde se encontraba, el *burh* frisón real (no las moradas de los hombres en un sentido general, como defiende Williams; este significado lo encontramos casi de forma exclusiva con expresiones sobre el tiempo y las estaciones, como en 1134). Cf. «geong in geardum» 13, no joven 'en el mundo', sino 'en su hogar real'; «gomen in geardum» 2459.

'Ahora se ha marchado el invierno, acogedor era el seno de la tierra. El exiliado (Hengest) ansiaba (ponerse en movimiento y) marcharse de los salones de los que era huésped', una palabra irónica y amarga. '(Pero) entonces pensaba más en vengarse de la afrenta que en viajar por el mar', es decir, primero se vengaría, y no se marcharía del odiado lugar de las muertes de su señor y sus compañeros hasta satisfacer su sentimiento de lealtad por su memoria: además, solo podría vengarse posponiendo la partida.

Con todo, no tenemos por qué pensar que este sombrío plan le bailaba por la cabeza desde el principio. Había tenido todo un invierno para reflexionar. Hablamos más bien de barajar una idea (a menudo en parte de manera inconsciente) antes de rendirse definitivamente a los impulsos. «Swa» 1142 es firme y contundente: 'por tanto' la última incitación había surgido efecto.

Entiendo, de hecho, que la «incitación» de Hengest tuvo lugar antes de que llegaran a concebir un plan definitivo para romper el acuerdo. El episodio de la espada se produjo antes de que se marchara nadie, con los primeros indicios de la primavera. Se repitió por parte del *wealaf* danés, no de Hengest ni de su *heap*, aunque, de nuevo, Hengest y su *heap* eran igual de necesarios para la venganza que para la defensa. Formaba parte del plan que la mayoría permanecieran en el *burg* de Finn todo el tiempo posible, porque esa era la única forma de poder tomarlo. El caudillo de todos, Hengest, debía quedarse allí, porque de lo contrario la presencia de alguno de sus hombres habría levantado sospechas. Situar el viaje en barco de Guthlaf y Oslaf (1149) más tarde es, por tanto, cronológicamente correcto.

La «incitación» tal vez se llevó a cabo nombrando definitivamente a Hengest su señor, jurándole lealtad a él. Hengest era el *þeodnes ðegne*, pero tal vez no (incluso aunque lo consideremos un hombre poderoso) el heredero natural de la lealtad de los daneses.

1140 y ss. Nos enfrentamos ahora al pasaje más difícil de todo el Episodio (en mi opinión), uno que, además, no es nada fácil de resolver: aunque tal vez podamos ahorrarnos más discusiones de las necesarias para llegar a una conclusión sensata, porque admito que es, en general, un rompecabezas gramatical y sintáctico. Apenas cabe duda sobre el sentido general: Hengest pensaba en vengarse (y es probable, si no seguro, que los *Eotena bearn* lo considerarían una ventaja o una desventaja, o ambas). Aun así, podemos extraer algunas indicaciones valiosas sobre los *Eotena bearn* y, por tanto, no conviene rehuir el escrutinio necesario.

En primer lugar, supongamos que los *Eotena bearn* solo están (como se suele dar por sentado hoy día) en el bando frisón y son, por tanto, enemigos de Hengest. Luego veremos si las dificultades a las que nos enfrentamos disminuyen de algún modo no por un cambio en la interpretación, sino de la teoría: considerando a los *Eotena bearn* amigos de Hengest (o tal vez algo más ambiguo). Si las dificultades no desaparecen, tendremos que buscar otra solución.

Las dificultades principales —*þurhteon* (véase más abajo, p. 205) es algo secundario— son (i) *þæt* 1141, (ii) *Eotena bearn*, (iii) *inne* y (iv) *gemunde*.

(i) *þæt*. Las posibilidades son las siguientes: (a) pronombre demostrativo neutro, (b) pronombre relativo neutro, (c) conjunción. Descartamos (a) por la hipótesis de que *Eotena bearn* no es lo mismo que *he*.

(ii) *Eotena bearn* debe de ser, si según la hipótesis no es lo mismo que *he*, el objeto de *gemunde*. Además, es plural (como veremos de nuevo más tarde, pp. 204-206).

(iii) *inne* significa 'dentro'. Sin embargo, independientemente de cómo interpretemos *þæt*, no puede significar 'en ello', es decir, en la batalla (*torngemot*); debe de significar 'dentro' en un sentido bastante físico de algo hueco, o, por una transferencia bastante simple, 'en el seno'.

(iv) *gemunan*, salvo en casos discutibles (como en «þæs [...] gemundon», una variante de lectura de la opción mejor «þæs [...] onmunden» de la *Crónica*, año 755), significa 'tener en mente', 'no olvidarse o quitárselo de la cabeza', 'recordar', 'venir a la memoria', 'rememorar'. No sería una lítote inusual utilizar 'recordar a alguien' como 'no olvidar lo que ha hecho (y recompensarlo con buena voluntad'), igual que nosotros (igual que en inglés antiguo) podemos utilizar «recordar»/*gemunan* para 'rezar por alguien', o si alguien te pide una cesta de Navidad podría pedirte con modestia que «recuerdes al basurero».

Veamos ahora cómo podemos interpretarlo:

'Pensaba más en la venganza que en alzar velas, si conseguía superar el conflicto para poder recordar a los jutos *inne*'. Podemos considerar *þæt... inne* (con *þæt* como relativo) lo mismo que *þe/þær... inne*. Ni siquiera la corrección a *þær... inne* nos ayudaría, porque *inne* no podría utilizarse para el referente impreciso «en una batalla», sino solo para «dentro de un salón (o seno)».

La única posibilidad para la última cláusula parece ser por tanto 'para que pudiera recordar a los jutos dentro'. ¿Qué significa esto? Según la teoría de que los jutos eran frisones y que por tanto estaban fuera, resulta ridículo (pues cuesta creer en 'recuerda a los jutos dentro, es decir, ahora son ellos los asediados', dado que esto es el futuro e imaginado, no un recuerdo), a menos que interpretemos *inne* como 'en su corazón'. Y creo que podemos. *Inne* suele utilizarse en referencia al interior de una persona (sin duda de una forma física más o menos imaginado), pero normalmente necesita algún tipo de palabra para mostrarlo, como «hreðer inne weoll» (2113). Con todo, podemos argüir que aquí se ha resumido el lenguaje, y que *gemunan* implica 'espíritu, pensamiento' (*hyge*), pensando por lo general como el interior del pecho de una persona.

Por tanto: 'para que pudiera recordar en su corazón a los jutos', lo cual significa, según la hipótesis, 'descargar sobre ellos su venganza'.

¿Es un lenguaje creíble? Podría serlo, si *inne* no fuera importante e «inne gemunan» 'recuerda (en su corazón)' significara simplemente 'recuerda'; pero tanto la posición, que refuerza la aliteración, como la reducción del lenguaje que comentábamos, donde todas las palabras y sus asociaciones cuentan, refutan esta idea. Por tanto, *inne* debe de significar 'en sus pensamientos más profundos', que naturalmente sugiere una oposición a la expresión exterior totalmente contraria al sentido que le hemos asignado a *gemunan* 'mostrar el recuerdo de uno con acciones manifiestas'. Esto nos hace traducirlo por 'sinceramente, profundamente, completamente', para lo cual no soy capaz de encontrar un paralelismo en IA preciso, aunque tanto el inglés antiguo como el inglés medio utilizan *inlice* (*inliche*, *inli*) con el sentido de 'sinceramente' (*he him inlice freond wæs*).[68] La antítesis implícita aquí es la expresión superficial externa, de hecho en referencia a una situación bastante diferente a esta. Aquí son incuestionables las expresiones deshonestas de odio; 'que pudiera recordar sinceramente (hostilmente) a los *Eotena bearn*, no solo hablar sobre ello'.

---

68. Cf. «mid inweardre heortan gemunan ond geþencean»: Richard Morris, *The Blickling Homilies* (1874-80) 55. Pero aquí la referencia es prestar atención a las enseñanzas para evitar olvidarlas más tarde.

Cuesta imaginarse al pobre Finn ejecutando a los frisones (según la hipótesis, equivalente a los *Eotena bearn*) por ser maleducados, si Hengest y compañía, aunque solo fuera por política, no se abstuvieran de hacer alusiones constantes a «esos malnacidos asesinos de los *Eotena bearn* que deberían ser castigados», por hipócrita que fuera, y sin molestarse en vengarse.

Nos encontramos entonces con que, al considerar a los jutos solo como enemigos de Hengest, las traducciones o bien son ininteligibles o intolerablemente forzadas y poco naturales. Esto es, creo, un argumento de peso contra la hipótesis. Acabaremos abandonándola.

Si *Eotena bearn* es equivalente a los amigos de Hengest (sobre todo a los caídos), y posiblemente un juego deliberado con el hecho de que tal vez también se refiera a sus enemigos (de ahí la ambigüedad de la expresión), el problema sintáctico sigue siendo el mismo, pero la dificultad de encontrarle sentido es bien distinta.

'Pensaba más en la venganza por la afrenta que en alzar velas, si conseguía superar el conflicto para poder recordar a los jutos dentro (o en su corazón)'.

Inne en su sentido físico ya no resulta tan imposible. Es concebible afirmar que Hengest recordara a los jutos asediados (es decir, los que habían caído en el salón de Finn) en su propio bando.

Me atrevo a decir que no tengo tan clara esa traducción; a pesar del uso de *inne* en expresiones como *inne besittan* 'asediar a un hombre en su propio salón' (en las Leyes *be fæhðum*; cf. NA *inni* solo para 'en casa [de uno]': *brenna hann inni*), e *inne* suele significar 'en el interior, a cubierto'. La objeción principal no es en absoluto el significado de *inne*, sino su posible función de adjetivo, o equivalente a la cláusula relativa *þe ær inne ofslægene wæron*.

A pesar de todo, no podemos descartarlo por imposible en un lenguaje que es arcaico y que además está comprimido. Su debilidad principal, desde el punto de vista de mi teoría (que creo que tiene otras cosas más allá de este pasaje para recomendarla y, por tanto, puede que nos ayude a modificar nuestra decisión aquí), es que limita demasiado a los *Eotena bearn* a los atacados, y no en un pasaje donde la referencia era naturalmente más limitada (el uso compartido de un salón), sino en uno donde el significado de *gemunan* era impreciso.

Si, con todo, abandonamos esa idea, todavía debemos enfrentarnos con *inne gemunde*: 'para en las profundidades de su corazón poder recordarlo' no encajaría, porque en su corazón ya lo estaba recordando en secreto, y el recuerdo lo llevaba a buscar un nuevo propósito: 'para poder en sus adentros (con sentimientos profundos e interiores, y una sinceridad apasionada) recordar' no suena demasiado natural, y menos en el contexto, para referirse a 'mostrar de manera práctica su lealtad a su memoria'. Con todo, no creo que sea imposible, sobre todo si la posición ambigua de los jutos puede haber provocado un lenguaje ambiguo (de forma premeditada).

Por tanto, según mi teoría (mantener *Eotena bearn* como plural), debemos optar por (a) 'para poder recordar (y verse alentado el recuerdo) a los *Eotena bearn* (asediados) en el salón' o (b) 'para permitir que su corazón recordara a los *Eotena bearn* (y todas las circunstancias de la pugna)', en contraposición a las más formales olvido o «amnesia» que nos impone el *frioðuwære*. Creo que la segunda es la mejor opción, pues no hay otra solución salvo que *Eotena bearn* no sea el objeto de *gemunde*; en ese caso, debe de ser una aposición de *he*, y singular.

Es cierto que ahora podemos usar *þæt* como pronombre neutro, el objeto directo de *gemunde*, y traducirlo como 'eso (era lo que) él, hijo de jutos, sopesaba en lo más profundo de su corazón'. Es una muy buena opción: *inne* tiene aquí su antítesis natural con la presentación exterior de *frioðu* mientras gira en torno a la idea de un *torngemot*. Si objetamos que *gemunde* apenas está registrado con el sentido de 'reflexionar, meditar (sobre algo reciente)', podría insistirse en que *torngemot* significa la vieja batalla, 'lo que recordaba en lo más profundo de su corazón', pero trataré esa sugerencia más tarde.

Mientras tanto, la duda sobre *gemunan* es el primer argumento contra esta teoría. El segundo es la aposición *he/Eotena bearn*. La aposición solo es creíble si la explicación de *he* que se ofrece es contundente, y explica o esclarece la frase. Por lo general (y siempre en este Episodio resumido), estos «títulos» bastarían, sobre todo con un pronombre *he* tanto en la frase anterior como en la siguiente: cf. «Healfdenes hildewisan» 1064, «Hoces dohtor» 1076, «Eotena bearn» 1088, «Folcwaldan sunu» 1089. ¿Cuál podría ser el sentido de 'para que él, al ser juto (o a pesar de juto) [...]'? Por descontado, por la misma naturaleza de la suposición que nos ocupa, los jutos solo pueden estar en el bando de Hengest o en ambos, si interpretamos *bearn* como singular. En mi teoría vemos el énfasis. La disputa era, sobre todo, una cuestión juta. Hasta donde sabemos, despertaron todos los sentimientos jutos de Hengest, además de su lealtad hacia Hnæf, que probablemente formara parte de ellos: una cuestión sobre la que discrepaban violentamente.

Con todo, creo que se desmorona con el uso en singular: *bearn* con un genitivo plural aparece siempre en plural (como en el único paralelismo claro del *Beowulf*, «Geata bearn» 2184), como cabría esperar. Se puede ser hijo de un juto, no de jutos, pues el genitivo no es partitivo ('hijo de entre los jutos'), salvo el plural del genitivo singular usado en frases patronímicas. Cf. «monnes bearn» sg. (*Guthlac* 430), no «manna bearn», que sería correcto e inteligible en plural y aparece como *wera, ylda, fira, gúmena, hæleða, leoda bearn*, que son todas plurales, no singulares. Por tanto, *Eotena bearn* no puede ser singular o una aposición de *he*, sin corregirlo por *Eotan*.[69]

En ese caso, la idea de que *torngemot* se refiere a la vieja batalla (que hemos visto que sería necesario en una construcción así para que *gemunde* tuviera el significado de 'recordar') también hace aguas: pero hace aguas de forma bastante independiente y creo que, además, nos ayuda a descartar definitivamente la interpretación de *Eotena bearn* como sujeto de *gemunde*. Refuerza la idea de que *þurhteon* debe de significar 'concluir, finalizar (algo comenzado)'. Esto no parece ser verdad. Desde un punto de vista etimológico, la palabra significa 'sacar totalmente adelante', y de ahí que adquiera de forma natural el sentido de 'finalizar, concluir'; pero se puede hablar de concluir, conseguir, perseguir hasta un resultado exitoso cosas que no se habían comenzado con anterioridad y se habían dejado a medias, sino que se han empezado de cero. Esa es la

---

69. [Cf. S. O. Andrew, *Postscript on Beowulf* (Cambridge, 1948) §85: «Es evidente a partir de las pruebas internas que en la combinación *æþelinga bearn*, la última palabra siempre es plural [...]; cuando *bearn* es singular, la fórmula es siempre '*æþelinges* (*ðeodnes*, etc.) bearn'»].

«idea» de Hengest. No hay nada antinatural en pensar: «¡suponiendo que pueda conseguirlo y ganar una nueva batalla!». De hecho, encontramos *þurhteon* utilizado con un sentido apenas más fuerte que 'realizar, hacer, llevar a cabo'; en cualquier caso, a menudo se usa al obtener peticiones, o para poner planes en marcha. No veo prueba alguna que demuestre que *torngemot* se refiere a la vieja batalla del salón, que terminó sin decidirse y por tanto es necesario concluirla.

Además, considero que ninguno de los participantes en los acontecimientos que terminaron con un acuerdo solemne y un funeral habría pensado que el viejo *torngemot* no había finalizado de forma definitiva, aunque no satisfactoria. El *gemot* 'conflicto' había terminado, pero no la animosidad. Si lo que querías era zanjar las diferencias (lo único que podía decirse que no había terminado), podías provocar un nuevo conflicto. No podías decir que estabas «terminando la vieja batalla», después de un acuerdo, un funeral y la evacuación del salón (escena de la batalla previa). Nosotros mismos deberíamos hablar de una «nueva guerra», incluso contra un viejo enemigo y por la misma cuestión, si entran en juego un acuerdo y un período de «paz».

Opino, por tanto, que de este análisis han surgido las cuestiones siguientes:

(1) *Eotena bearn* no se refiere solo a Hengest (por mucho que fuera sin ninguna duda juto).

(2) Los *Eotena bearn* sentirían el resultado de los recuerdos de Hengest sobre los acontecimientos recientes.

(3) Pero apenas podemos comprenderlo a menos que los *Eotena bearn* sean principalmente sus amigos, aunque el uso

de un lenguaje ambiguo puede deberse, tal vez de forma premeditada, al hecho de que en esa situación se vengaría y se
castigaría a hombres jutos.

Entre la maraña de dificultades, hemos decidido que 'para que
pudiera en su interior —es decir, para que su corazón pudiera— recordar a los guerreros jutos con un profundo sentimiento' es la interpretación más probable.

1142 «Swa». A la fuerza: 'Por consiguiente'. Hasta ahora,
todo esto solo se le ha pasado a Hengest por la cabeza; no se lo
ha comentado a nadie (o eso podemos imaginar), ni en secreto
ni de ninguna otra forma; pero entonces ha ocurrido algo (ya
estaba preparado mentalmente, de modo que no necesitaba
extensos argumentos para convencerlo, solo algún tipo de acto
simbólico conmovedor) que lo ha hecho entrar en acción. Por
desgracia, el lenguaje sigue siendo vago, sin duda debido a
nuestro desconocimiento parcial del lenguaje poético en IA
(*woroldrædenne*) y a nuestro desconocimiento parcial de la situación.

Creo que mi visión de que los defensores estaban mezcla-
dos (sabemos que eran daneses, ¡pero Sigeferth era *Secgena
leod*!), sobre todo personas que podían llamarse jutos (*Eotan,
Eotena bearn*) y otros que podían llamarse daneses (*Dene*), dilucida la situación de forma notable. Hengest no es el heredero natural del vasallaje de los supervivientes; tiene a su *heap*
(jutos), muchos de los cuales han caído; pero sin duda es el
mejor hombre en pie.

Mi lectura es que uno de los resultados lógicos de la convi-
vencia entre los *Dene* y los *Eotena bearn* tras un largo invierno,
tras haber compartido la heroica defensa, es que se hayan oído

susurros sobre planes de venganza. Que Hengest se quedara aislado, sopesando, no significa necesariamente que estuviera aislado como rehén de Finn, separado de los demás; a menos que se insista (como hemos visto, no tenemos pruebas de ello) en considerarlo un personaje de natural siniestro. Hasta donde sabemos, la lealtad inquebrantable hacia su palabra pudo ser tan característica que los hombres temían acercarse a él, hasta que percibieron por indicios externos que estaba intranquilo. Es mucho más probable porque el movimiento de venganza se dirigía sobre todo a vengar a Hnæf, y surgió no entre el *Hengestes heap*, sino entre los *wealaf* daneses.

Ya hemos tratado con parte del problema de los versos 1142-5 con los nombres del pasaje, y al igual que hemos encontrado razones al principio para sospechar que Hengest era juto, también encontramos razones para considerar a Guthlaf y Oslaf (Ordlaf) «daneses» de algún tipo, asociados probablemente con un tal Hunlaf.[70] Es por esto por lo que decidimos leer *Hunlafing*, que en ese caso debe de tratarse de un nombre masculino (o tal vez un título, usado en este Episodio resumido en vez del nombre real, como *Hoces dohtor* o *Folcwaldan sunu*); *hildeleoman* es o bien un *kenning* o el nombre (no podemos determinar cuál) de una espada. ¿Qué podemos averiguar, o deducir, del proceso?

1142 «woroldrædenne». *Ræden* f. es un nombre abstracto derivado probablemente de *rædan* verbo regular (gótico *raidjan*) 'disponer', aunque influido por la confusión de esa palabra con *rædan,* verbo irregular 'aconsejar, discutir, etc.'.

---

70. Cf. *hunlapi* se unió con *rudoplhi* en la lista de héroes germánicos (más arriba, p. 125-126).

Significa 'régimen, gobierno, cálculo, estimación; estipulación, condición'. También se usa con frecuencia como formador de sustantivos abstractos (por ejemplo, *broþorræden* 'fraternidad, hermandad, comunidad', IM *broþerrede, -hede*). La palabra simple no aparece en verso, pero el compuesto y los posibles usos con sufijos sí. Compuestos: *folcræden* 'plebiscito'; *frumræden* 'algo dispuesto con anterioridad (o al principio)'; *meodoræden*, que por lo visto significa 'tratar con (la entrega de) hidromiel en un salón'; *þingræden* 'intercesión', aunque es probable que también signifique 'cortejo', o que sea un equivalente de *wifþing* 'relaciones sexuales'; *unræden* 'acción desafortunada'. Con sufijos: *campræden* 'guerra'; *freondræden* 'amistad'; *gafulræden*, equivalente de *gafol*; *mægræden* 'relación por matrimonio'; *treowræden* 'pacto'; *wigræden* 'guerra' (*Waldere* 22). Fuera del verso, la palabra sigue siendo común, sobre todo para expresar relaciones o condiciones: *mannræden* 'lealtad, tributo'; *burgræden* 'ciudadanía'; *geferræden* 'compañerismo'; *hierdræden* 'custodia'; *hiwræden* 'familia, hogar'. Ninguna de estas palabras aparece en el *Beowulf* ni en ninguno de los fragmentos heroicos, salvo por *wigræden* en el *Waldere*.

A partir de estos ejemplos, resulta evidente que no es fácil descubrir por el uso o la etimología cómo debemos interpretar el *woroldrædenne* que aceptó (*ne forwyrnde*); pero salta a la vista que no puede pertenecer a la misma clase que *folcræden* o *meodoræden*, donde *ræden* aún conserva su fuerza como 'disposición'; no puede significar 'disposición, gobierno del mundo'. Por tanto, o bien (a) significa 'disposición del mundo/condición/estado' (de aquí surgen las suposiciones de 'maneras del mundo, tentación', o incluso 'procedimiento adecuado, mantener un juramento', o 'muerte', o 'destino', etc.; o (b) *worold* no es más que un intensificador, y lo importante es *ræden* 'estipulación, condición'; o (c) debemos corregirlo; lo más fácil sería *weodræden* 'servicio en una banda militar'. La palabra no existe, pero cf. *wigræden, campræden*, y, en prosa, *hiwræden, geferræden*, etc. (b) nos ofrece el mejor sentido provisional, pero es evidente que debemos apoyarnos en el contexto y en la interpretación de la situación general para decidirnos.

¿Qué significa *on bearm dyde*? Por descontado, ¡podemos descartar la idea de que alguien le hundió una espada a Hengest! Es evidente que alguien le entregó una espada, ya fuera real o simbólica. Existe un paralelismo cercano en el mismo *Beowulf* (2192-6), donde Hygelac recompensa a Beowulf por su pericia, y aparentemente por la «riqueza de sus presentes» (una provincia entera) lo asciende al rango de príncipe vasallo: «næs mid Geatum ða sincmaðþum selra on sweordes had; þæt he on Biowulfes bearm alegde, ond him gesealde seofan þusendo, bold ond bregostol». Cf. también 2404 «him to bearme com», es decir, en su poder, y el verso 25 de los *Gnomic Verses* de Cotton, «sweord sceal on bearme».[71]

La colocación de Hildeleoma sobre el regazo de Hengest fue sin duda un gesto cargado de significado: pues, más allá del hecho de que «sus filos eran conocidos entre los jutos» (como veremos más adelante), todo el pasaje muestra claramente que al fin lo hizo decidirse a hacer realidad sus ideas de venganza.

¿Cuál es la importancia del acto? El simple valor de la espada (ni siquiera respaldado por el renombre o las asociaciones sentimentales relacionadas quizás con la misma disputa que

71. [*ASPR* vi 56.]

supone el trasfondo, apenas comprensible, de la historia), ahora entregada como presente con la condición de «ahora estás a mi/a nuestro servicio», no satisfaría a nadie. O bien se le está ofreciendo a Hengest el liderazgo de unas personas sobre las cuales no tenían ningún tipo de jurisdicción antes, o le está pidiendo vasallaje alguien con el derecho a reclamarla, como el sucesor de Hnæf.

No creo que sea fácil decidirse entre estas dos posibilidades. Considero que podríamos acordar que Hunlafing es danés, no juto, porque es evidente que Hengest no tenía ninguna necesidad de actos simbólicos de homenaje por parte de su propio *heap*; y digo esto porque a pesar de que Leifus, con sus seis hijos Hunnleifus, Gunnleifus, Oddleifus, etc., sea rey de Dinamarca,[72] no tenemos ni mucho menos la certeza de que en la tradición nórdica tardía no represente a algún rey o héroe de lugares que más tarde absorbería Dinamarca y que, por ejemplo, fuera juto (igual que el anglo Offa aparece como el danés Uffo); pero ambas consideraciones se inclinan más bien por considerar a Hunlafing danés. En ese caso, o bien están nombrando a Hengest líder de los daneses (como mínimo para aquella venganza desesperada) o Hunlafing tiene alguna razón para esperar su lealtad.

Es indudable que sabemos muy poco. Si nos fiamos del epítome en latín de la *Skjöldungasaga*, Hunlaf era el mayor de los hermanos. No se lo menciona en el Fragmento que nos ha sobrevivido. Es posible que cayera en *Finnesburg* (pero no creo que la referencia a Ordlaf y Guthlaf del verso 16 del Fragmento concuerde con eso). No sabemos qué relación tenía con

72. [Más arriba, p. 126.]

Hnæf. A Hnæf lo llaman eskildingo, igual que a Guthlaf y a Oslaf, probablemente, en el verso 1154 (aunque es posible que sea el título general de los atacantes vengativos, citados por lo general como daneses, o como vasallos eskildingos). Ante la incertidumbre, esperaríamos que el liderazgo se le esté ofreciendo a Hengest por cómo lo tratan en el Fragmento y el Episodio (sobre todo tras la muerte de Hnæf; es el destinatario formal del juramento de Finn y, por tanto, parece que el hombre más destacado entre los supervivientes).

En nórdico hay numerosas referencias sobre los usos de espadas para jurar lealtad que podrían arrojar luz sobre el pasaje.

(1) Hay un pasaje en Saxo Libro II[73] donde, tras la muerte de Hrólfr Kraki (Rolvo), solo dejan con vida a Viggo. Hiartvaro (Hjörvarðr = Heoruweard), su asesino, le pregunta a Viggo si está dispuesto a servirle, y cuando este responde que sí, le ofrece una espada desenvainada; pero Viggo rechaza la hoja y la agarra por la empuñadura, diciendo que así era como Rolvo solía ofrecerle la espada a sus hombres. Saxo dice: «Olim, namque, se regum clientelæ daturi tacto gladii capulo obsequium pollicere solebant», «pues antes los que estaban a punto de comprometerse como miembros del *comitatus* del rey estaban acostumbrados a prometer sus servicios con la mano en la empuñadura de la espada», es decir, con la espada del rey sobre el regazo. (Claro que Viggo aprovechó la oportunidad para atravesar a Hiartvaro con la hoja, pero eso no tiene nada que ver con nuestra historia.)

73. [Müller, *Saxo*, 108-9; Holder, 67; Elton, 81.]

No es necesario dar referencias sobre la práctica general de jurar sobre espadas, sobre todo espadas desenvainadas (como a la que se hace referencia, por ejemplo, en *Völundarkviða*: «eiþa skaltu mér áþr allá vinna at skips borði [...] ok at mækis egg»).[74]

(2) El hecho de que pueda colocarse una espada sobre el regazo como simple presente que acompaña un obsequio de vasallaje, o una solicitud para ser aceptado como vasallo, se nos muestra (a) en el verso 2404 del *Beowulf* citado más arriba y (b) en el caso contrario con la cita siguiente del pasaje de Saxo anterior[75] de los *Annales Fuldenses* (año 873), incluida en las *Notæ uberiores* de Müller; traduzco del latín: «Los embajadores de Halbdenus, hermano del rey Sigifridus, le ofrecieron al rey (Hludovicus) como presente una espada de empuñadura dorada, y le suplicaron que se dignara a acoger a sus señores como a hijos, que lo honrarían como a un padre durante el resto de su vida [...]. Juraron también, como era costumbre de su pueblo, sobre las armas, etc.».

Con todo, también es posible que esta narración se haya desplazado, o malentendido, y es probable que la espada presentada a Hludovicus se utilizara para jurar lealtad (en nombre de otra persona).

(3) Puede que no haya nada más tras el gesto de Hunlafing ofreciéndole una espada a Hengest y jurándole lealtad sobre ella; sin embargo, el hecho de presentar así una espada también podría utilizarse para lo contrario, es decir, para convertir al receptor en subordinado, como atestigua la conocida historia

74. [Jónsson, *Eddukvæði*, I 196.]
75. [Müller, *Saxo*, ii 104.]

del *Heimskringla* de Snorri.[76] Cuando Aðalsteinn llega al trono
de Inglaterra, envía mensajeros al rey Harald de Noruega. Debían acercarse a él y ofrecerle una espada con lujosos adornos.
Uno de ellos le ofreció la empuñadura al rey y le dijo: «Con-
templad la espada que el rey Aðalsteinn quiere que recibáis».
El rey la agarró por la empuñadura y el mensajero gritó de
inmediato: «Ahora habéis aceptado la espada tal como el rey
deseaba, y seréis su vasallo, pues sostenéis su espada». (El truco
de vuelta de enviar a Hákon para que Aðalsteinn lo acogiera
también es de sobra conocido.)[77]

Debo decir que, en términos generales, Hunlafing ha posado
una espada sobre el regazo de Hengest y le está jurando lealtad a él.

(a) Porque *him* se refiere sin lugar a duda a Hengest, y no a
Hunlafing (que actúa como príncipe y le posa su propia espada en el regazo para que Hengest juren sobre ella);

(b) en ese caso, es posible que juren Hunlafing o Hengest,
porque

(c) es posible que Hunlafing haya traído una espada que no
estaba antes en posesión de Hengest, pero que le había pareci-
do especialmente adecuada para jurar sobre ella; tal vez perteneciera a Hnæf, o fuera una antigua espada juta (cf. 1145), o

---

76. [*Haralds saga ins hárfagra* c. 38, en *Heimskringla*, i 143-4.]

77. [*Ibidem* 144-5.] Cf. también los *Gnomic Verses* de Exeter, versos
67-70 [*ASPR* iii 159]. Para más información sobre las antiguas leyes de
Noruega, véase Nora Kershaw, *Anglo-Saxon and Norse Poems* (Cambridge,
1922), comentario de *The Wanderer*, versos 42-3.

ambas cosas; yo creo más probable que fuera la espada de Hnæf.

(d) Esto es lo más probable, si tenemos en cuenta el prestigio general de Hengest, mientras que 1145 «mid Eotenum [...] cuð» parece, lo interpretemos como lo interpretemos, darle importancia a los jutos y a Hengest; pero, sobre todo, el hecho de Finn jurándole a Hengest (1096) muestra que no había nadie entre los defensores (a quienes Hunlafing probablemente perteneciera: véase más abajo) que hubiera tenido en ningún momento más derecho para representar a la fuerza defensora al completo.

¿Qué ocurre, entonces, con *woroldræden*? Desde un punto de vistas práctico, debe de significar,[78] en esta construcción (pues no veo cómo podría significar ninguna otra cosa en este contexto), 'lealtad/vasallaje ofrecido' o 'lealtad/vasallaje pedido'. ¿Podría ser? Cuesta creerlo. Sería posible si la consideráramos un equivalente de *ræden*; incluso, quizás, si la entendiéramos como una 'disposición tradicional'; pero, de hecho, cualquier traducción de *woroldræden* en este contexto suena extremadamente forzada, y las mejores opciones surgen de equiparar *worold* con 'hombres'. Con todo, *worold* con el sentido de 'humanidad' no puede convertir *ræden* en *mannræden*.

Me resulta un caso bastante claro de corrección a *werodræden* con la forma *weorodræden*; en las formas *weorod/weorold*, las dos palabras son extremadamente cercanas. *Weorodræden*

---

78. Puesto que 'maneras del mundo, destino' no es algo que un verdadero héroe pensaría en 'rechazar', y el rechazo o no debe de estar estrechamente relacionado con el manejo de la espada posterior.

no aparece en ningún otro sitio, pero tampoco *woroldræden*, y *weorodræden* tiene paralelismos de tipo bélico en *campræden* y *wigræden* (la última solo en verso heroico) y de tipo «grupal» en *geferræden*, *bropoæden* y *hiwræden*. Además, tiene sentido: 'Por consiguiente, no rechaza la lealtad (de la banda danesa) cuando Hunlafing posó sobre su regazo (en el acto de prestar juramento) a Hildeleoma, la mejor de las espadas'.

1145 Cf. *Beowulf* 2192-3. 'Sus filos eran conocidos entre los jutos'. Esto es sin duda ambiguo. Tal vez estemos de nuevo ante un doble sentido, debido a la posición ambigua de los jutos, y de ahí la dificultad para nosotros (a menos que reconozcamos que los jutos estaban divididos); pero no me convence que *ecge* (como afirma Chambers)[79] haga necesariamente que la referencia sea hostil. De lo contrario, dice él, el poeta se habría centrado en sus adornos, no en el filo; pero *ecg* aparece con demasiada frecuencia como equivalente de 'espada'. Incluso si objetas que se trata de un plural definido *filos*, yo diría que los jutos probablemente juzgaran mejor las espadas que los editores; si una espada es «conocida» en un pueblo, es probable que se lo deba a su hoja y corte, bien se haya usado para atacar o para defenderse. «Hreðles laf» (2191) estaba «golde gegyred», pero si era «mid Geatum cuð», sin duda fue más por la hoja que por el oro; con todo «Hreðles laf» no podía ser *cuð* por matar gautas, aunque esto no se debe a las diferencias entre las historias gauta y juta.

El argumento de Williams de que *cuð* + dativo significa 'conocido para' y *mid* implica 'entre' (es decir, los jutos no eran las víctimas) es bueno, y tal vez probable. Ocurre lo mismo

79. [Chambers, *Introduction*, 253.]

con la idea de que la audiencia que escuchaba el Episodio debía de conocer al poseedor de la espada.[80] Además, según mi teoría, quedaban pocos jutos «agresores» vivos. En otras palabras, el poeta sabía y esperaba que la audiencia conociera al detalle por qué la espada era «mid Eotenum [...] cuð», y probablemente eligiera un lenguaje ambiguo para señalarlo.

1146 y ss. Queda una cuestión pendiente en este análisis textual del Episodio antes de que intentemos presentar una reconstrucción final: ¿cómo se llevó a cabo el plan?, ¿cuál fue la secuencia de los acontecimientos?, ¿y qué se traían Guthlaf y Oslaf entre manos?

1146 «Swylce». En opinión de Williams, esto podría significar 'de tal modo',[81] es decir, de una forma similar a lo que se ha mencionado anteriormente, de la nueva situación que se ha producido a partir de las acciones de Hunlafing. Podría, por supuesto, significar también 'asimismo, del mismo modo', incluso un simple 'también'. En cualquier caso, la cuestión que sigue a *swylce* relata una consecuencia más y otro desarrollo de los acontecimientos (igual que después del «swa» anterior, 1142). Hengest comienza a pensar en la venganza, y, por consiguiente, acepta la confabulación y Finn encuentra la muerte.

Me inclino por reducir la puntuación en *cuðe* a un punto y coma, por razones que comentaremos más adelante. Me inclino por que el difícil «ne meahte [...] hreþre» haga referencia a Hengest, y que todo lo que viene después de *swa* sea una explicación sobre cómo las simples ideas de *gyrnwræce* se convierten en hechos consumados, a través de la oportunidad.

---

80. [Williams, *Finn Episode*, 98-100.]
81. [*Ibidem* 101.]

ferhðfrecan. A simple vista, la sugerencia de Williams, de que estamos ante el genitivo singular de *ferhðfreca* 'el de corazón temerario' y que se refiere a Hengest, resulta atractiva.[82] Ya he señalado que no creo que Hengest pueda considerarse un personaje de naturaleza sombría o despiadada, y no creo que conozcamos lo suficiente el relato como para negar que Finn fuera *ferhðfrec*.[83] A pesar de eso:

(1) Es innegable (como afirma Chambers)[84] que la historia trata sobre Hengest, de sus dudas y venganza. Se lo debería mencionar en el momento exacto de la venganza.

(2) Como *wrecca* (y, en efecto, por el tono en sí de las referencias) era sin duda un «héroe», arrojado y temerario, incluso de corazón codicioso (al buscar botín), por mucho que por lo general fuera un hombre que cumpliera con su palabra y se mantuviera fiel en una situación peliaguda.

(3) En el Episodio no hay espacio en su economía del lenguaje para simples cumplidos «épicos» (merecidos o no) hacia Finn; aunque sí acostumbre a indicar el sujeto solo mediante algún tipo de título, cuando es evidente a quién se refiere.

(4) No creo que concuerde con el estilo en IA (y menos con el estilo de este pasaje) el hecho de prefijar un adjetivo débil a un nombre. Es algo que no ocurre ni siquiera en el caso de Beowulf. Tenemos, claro, el vocativo «Beowulf leofa» (1216, 1758), «leofa Beowulf» (1854, 1987, 2663); pero los

---

82. [*Ibidem* 102-3.]

83. ¿Realmente sabemos qué significa *ferhðfrec*? Desde un punto de vista etimológico, debería significar 'codicioso' o, como mínimo, 'pertinaz'.

84. [Chambers, *Introducción*, 285.]

cumplidos aparecen con la forma «se geoda [...] Beowulf» (675) o «Beowulf [...] sigoreadig secg» (1311).

La última consideración es la que me parece más determinante, aunque no cierro la puerta a que «ferhðfrecan Finn» (Finn, cuyo corazón solo pensaba en su provecho) sea, en efecto, una cita de las palabras de sus acusadores.

Sin duda, la cuestión es si incluso en este Episodio «ferhðfrecan [...] sweordbealo sliðen» 'cruel injuria de espada del de corazón temerario' puede significar 'cruel ruina/daño/ataque de la espada del de corazón temerario'. La respuesta es (aunque tal vez con cierta vacilación) «probablemente sí». Es una lástima que no podamos saberlo a ciencia cierta, pues en ese caso contaríamos con una prueba de nuestra teoría de que Hengest era una figura predominante en todo el fragmento; pero *sweordbealo*, aunque implique la muerte como resultado final, no llega a hablarnos del asesinato de Finn, algo que se reserva para el verso 1152.

1147 «æt his selfes ham». 'En su propio salón', enfático. Cf. «his sylfes ham» 2325. Allí las palabras enfáticas se utilizan porque el ataque del dragón debió de ser especialmente virulento si el propio salón del impertérrito rey ardió en llamas. Aquí ocurre algo similar, pero también sin duda porque «Finnes ham» era el mismo escenario del *grim gripe*, que luego resultó ser inexpugnable gracias a la defensa de Hengest. Ahora se han girado las tornas (y es indudable que a Finn también le ha sorprendido dormitando).

1148 «Siþðan» es, sin duda, una conjunción, 'después, cuando'. Es increíble que esta frase relate acontecimientos posteriores a la muerte de Finn (con el adverbio *siþðan*): los veremos en los versos 1154 y ss.

«grimne gripe» 'cruel ataque' y «sorge» son paralelismos y ambos objetos de «mændon», bien sea con el sentido de 'lamentado' o (y como es más probable) 'hablado, informado': 'el cruel ataque y la aflicción'; el traicionero ataque y la caída de sus amigos en la refriega.

1149 «æfter sæsiðe». Esto debe de significar 'después de navegar por el mar'. Ahora bien: Guthlaf y Oslaf habían estado sin duda dentro del salón durante la defensa (Fragmento, verso 16); por tanto, solo es posible que hayan navegado de vuelta hacia *Denum*, como, según mi lectura, podían hacer sin obstáculos una vez llegara la primavera. Su único objetivo era conseguir refuerzos. Para ello, habrían tenido que narrar los acontecimientos, y presentar a algún superviviente que mereciera un castigo. ¿Qué sentido tendría que hubieran repetido el largo trayecto hasta Frisia (solos) para atacar a Finn y, además, de forma prematura (tal como Klaeber sugiere)?[85]

85. [Fr. Klaeber, *Beowulf and the Finnsburg Fragment*, Segunda edición (1928), nota sobre el verso 1148; pero en la nota al pie 2 de la página 220 sugiere que *æfter sæsiðe* «podría [...] hacer referencia a la travesía inicial de los daneses hacia Friesland». En la tercera edición (1936), en la nota al pie 3 de la página 232, concluye que «es probable que con *sæsiðe* se haga referencia a la travesía primera de los daneses hacia Friesland», y en su nota sobre el verso 1148 compara «æfter sæsiðe sorge» con «æfter deaðdæge dom» (885). Según esta interpretación, Guthlaf y Oslaf no se marcharon nunca de Frisia; precipitaron la venganza de Hengest acusando abiertamente a Finn de todos sus problemas.]

1150 «ætwiton weana dæl». 'Lo culparon por su parte (la parte de los daneses en oposición a los jutos)[86] de aflicciones, su carga de aflicciones'; la frase exige un dativo, al menos *him*. Este solo puede ser el «Fin [...] his [...]» de la frase anterior. Si lo traducimos con *him* (véase más abajo, p. 224), verás de inmediato que parece hacer referencia a Finn.

Me parece necesario suponer que Hunlafing (sea Hunlaf o no) era uno de los huéspedes asediados originales. No podía haber travesía por mar alguna hasta que se llevara a cabo la confabulación, porque de lo contrario se habrían marchado todos, gradualmente o no, y habrían perdido toda oportunidad. La «incitación» de Hengest debió de tener lugar en cuanto los mares volvieron a ser navegables o justo empezaban a calmarse, cuando los daneses vieron que era o entonces o nunca, antes de que la banda se desintegrara. Hunlaf era —si hacemos caso a su aparición junto a *rodolphus* en la celebrada lista de héroes germánicos—[87] una figura muy prominente en la tradición inglesa de los «daneses». Por la Skjöldungasaga, parece que era el mayor de sus hermanos.[88] Es indudable que el mismo Hunlaf o bien no estaba allí o bien ya había muerto; probablemente lo segundo, puesto que parece que se refieren a su hijo como el superviviente «danés» más destacado. Es una

---

86. [Esta interpretación de *dæl* apenas se sostiene: «weana dæl» es una fórmula, y también aparece en *Deor* 34; cf. «wean ænigne dæl» (*Christ* 1384) y «earfo dæl» (*Genesis* 180, *Fortunes of Men* 67, *Deor* 30, *Riddle* 72 15). En ninguno de estos casos se sugiere que las aflicciones o dificultades se compartan entre dos o más partes.]

87. [Más arriba, p. 125.]

88. [Más arriba, p. 126.]

posibilidad, sin duda, que el *Skjöldungasaga*, con su rey Leifus y sus hijos Hunnleifus, etc., errara en las relaciones (algo habitual con las tradiciones escandinavas tardías) y que Hunlaf fuera el padre de Guthlaf y Orlaf, y que tal vez tuviera algún vínculo con Hnæf; de modo que *Hunlafing* es un título para Guthlaf u Ordlaf, de igual modo que tenemos «Hildeburh» en el 1071 y «Hoces dohtor» en el 1076. Esta es mi opinión. Por tanto, Guthlaf y Oslaf, tras haber obtenido el liderazgo (o la lealtad) de Hengest, regresan a *Denum*. Creo muy posible que los acompañara también su (pequeño) *wealaf* danés al completo, y solo dejaran atrás a los jutos del *Hengestes heap*. Aquello, sin duda, calmaría las sospechas de Finn. Parece que se ha logrado separar al aliado juto y a los *Dene* (de lo cual tal vez encontremos un indicio en el verso 1084). Los daneses se han marchado. Hengest se queda atrás, pero no es la primera vez que Finn tiene a su servicio un *wreccan* juto.

Lo engañaron. Los daneses regresaron con fuerzas renovadas de forma bastante inesperada, y Finn se encontró con un enemigo y un aliado de los invasores dentro de su *burh*. El ataque nocturno con un traidor dentro de las puertas triunfa; el saqueo del *burh* del poderoso rey frisón no fue cosa menor, y es lógico que permaneciera en las canciones.

1150b «ne meahte», etc. Se sostiene[89] que la mejor forma de tratar estas palabras es considerarlas una descripción de la funesta muerte de Finn. Es cierto que contamos con al menos un paralelismo verbal en el verso 2420, donde se dice de Beowulf (*fæge*, acercándose a la hora de su muerte) que «him wæs geomor sefa, wæfre ond wælfus»; pero el paralelismo es

89. [Véase Williams, *Finn Episode*, 102.]

menos cercano de lo que parece. Aquí se nos dice que el *mod* «no era capaz de contenerse a sí mismo dentro del pecho». Esto, si lo aplicáramos a Finn, solo podría significar 'le abandonó el pecho, murió', pues él no pudo prever su muerte, o de lo contrario el complot probablemente habría fracasado; pero reservemos la muerte para el verso 1152. ¿Podemos decir «su alma se aceleró» (o, más bien, que él no era capaz de evitar que su alma «vagara o errara»), luego el salón se tiñó con la sangre y de igual modo lo mataron? ¡Yo creo que no!

En ese caso, el *mod* debe de ser de uno de los sujetos anteriores, *Guðlaf ond Oslaf* o Hengest.[90] En el primer caso, «el espíritu (es decir, la emoción) inquieta no podía contenerse dentro del pecho» tal vez se refiera al arrebato apasionado cuando cuenta la historia de sus errores; en el segundo, ya no podía reprimir más su espíritu atribulado (en referencia a su largo debate interno), es decir, se entregó a su dolor y deseos de venganza.

Cabe destacar que *mod* no tiene por qué ser el sujeto. Es cierto que *forhabban* puede utilizarse como verbo intransitivo con el sentido de 'contenerse', cf. 2609, «ne mihte ða forhabban, hond rond onfeng»; con todo, este paralelismo sin pronombre, pero refiriéndose al sujeto (Wiglaf) de la frase anterior, nos hace querer interpretar *mod* como el objeto, y el sujeto de la frase anterior como el sujeto también de *meahte*, pero es probable que debamos corregirlo por *meahton*, a menos que tenga razón al tratar a Guthlaf como equivalente de

---

90. [Hengest fue el último al que se hizo referencia por el nombre en el verso 1127, veintitrés versos antes; pero los «he [...] him» de los versos 1142-3 se refieren claramente a Hengest.]

Hunlafing, en el que se piensa a lo largo del fragmento. *Ne meahte* también podría ser impersonal, y *mod* ser el objeto de *forhabban*.

Lo traduciremos, por tanto, de la forma siguiente:

'De modo que Hengest no rechazó la lealtad (de los daneses) cuando el hijo de Hunlaf posó sobre su rodilla (en el acto de prestar juramento) a Hildeleoma, la mejor de las espadas, pues conocidos eran sus filos entre los jutos; y, de este modo (o y así, del mismo modo), le llegó la cruel ruina a Finn por la espada de aquel de corazón temerario (o espadas crueles y letales cayeron sobre el ambicioso Finn) en su propio salón, después de que Guthlaf y Oslaf cruzaran el mar y contaran la historia de la vil matanza y de su pena, culpándolo (a Finn) de su parte de sufrimiento; ya no pudieron contener más en el pecho los sentimientos que se agitaban en lo más profundo de su ser'.

1151 «Ða wæs heal hroden feonda feorum, swilce Fin slægen». La última dificultad.

Es bastante evidente que *hroden* es un error. Tratar de defenderlo es una pérdida de tiempo. La palabra más probable es *roden* 'enrojecido' (los derivados de **hreodan* y *reodan* no se confunden en ningún otro sitio);[91] de hecho, no abandonaremos esta opción salvo por presiones violentas. El SO *broden* (que exige que *broden*, y no *brodgen*, hubiera aparecido ya en la copia) nos lleva a una traducción de este estilo: 'El salón estaba entrelazado, tejido, con vidas enemigas; es decir, se formó un

---

91. [No parece existir dicha confusión en ninguna obra poética en IA.]

manngarðr (como en el NA *heimsókn*) a su alrededor'. Esto nos da una descripción bastante probable de los acontecimientos, pero una traducción muy cómica de las palabras en IA. 'El salón se enrojeció con la sangre de los enemigos, y Finn se encontraba entre los caídos de su guardia personal'; esto nos ofrece un sentido general excelente del contexto, y en realidad resiste cualquier tipo de crítica.

El uso de *feonda* es correcto: ambos bandos están ya en guerra; la tregua se ha roto; sin duda hubo una intensa matanza en ambos bandos. Es posible que Hengest fuera un buen capitán, ayudado por la sorpresa nocturna y los engaños, pero el salón ya había resistido antes contra todo pronóstico durante cinco días como mínimo. Podemos traducirlo por 'con la sangre de hombres en guerra', un trasfondo adecuado para la caída del gran rey. No veo cómo podría objetarse algo así, por muy concentrado que estuviera el poeta en Finn (tal como sostiene Williams).

¿Qué sentido podemos encontrarle a *feorh*? Williams acierta al dirigir su crítica hacia la vaga suposición de que *feorh* es un equivalente de *wæl* 'cuerpo (muerto), cadáver'.[92] Es imposible manchar un salón con cuerpos, o incluso con *wæl* (que implica sangre), pero sí con *dreor, blod, swat*, etc. El ejemplo de *feorh* en el verso 1210 del *Beowulf* que Williams destaca con acierto significa 'vida', como la posesión más preciada de Hygelac (nombrada antes de la armadura y las joyas), no su cadáver. Es indudable que la palabra puede significar 'persona viva' (cf. IM *life*), pero aquí no nos ayuda: es imposible 'enrojecer (o adornar) un salón' con personas vivas. *Genesis*

92. [Williams, *Finn Episode*, 103-4.]

2065, «feonda feorh (pl.) feollon ðicce (en batalla)» ofrece una frase paralela: Williams la interpreta correctamente no como *wæl*, sino como una expresión en que *feonda feorh* equivale a «enemigo», es decir, 'miembros de la hueste enemiga'. El ejemplo más curioso es «fira feorum» 'con (espíritus de) hombres', *Christ* 1592.

Por tanto, estamos ante la cuestión de si una palabra utilizada (en un gran número de casos) como '(principio abstracto de la) vida', y en ocasiones como 'ser vivo', podría usarse para referirse a cualquier cosa o a la parte real de un cuerpo esencial para la vida, igual que en inglés hablamos de *life-blood* 'sangre vital, alma'. Y sin duda es posible, aunque vagamente: tenemos «wæs in feorh dropen» 'golpeado en las partes vitales' en *Beowulf* 2981, «feorh geræhte» en *Maldon* 142. El caso de *feorh-hlast* en «feorhlastas bær» (*B.* 846) es curioso: ¿'huellas de vida'?, pero si Grendel regresaba a su morada a morir, y las *lastas* eran visibles; y fijémonos en *blode* 847. Sería más correcto 'huellas manchadas con sangre vital'. Cf. NA *fjör* en verso, y la nota de Finnur Jónsson en *Lexicon Poeticum*: «en muchos de estos casos, *fjör* se trata como algo sustancial [...] probablemente se equipare la sangre con la vida; este sentido es evidente en *Völuspá* 41, «fyllisk fjörvi feigra manna, rýðr ragna sjöt rauðum dreyra».[93] Podríamos añadir también *fjörsegi* (*Fáfnismal* 32) con el significado de 'músculo vital (¡músculo de sangre!)', es decir, 'corazón'.

---

93. [Finnur Jónsson, *Lexicon Poeticum Antiquæ Linguæ Septentrionalis* (Copenhague, 1931). Sobre las dos citas, véase Jónsson, *Eddukvæði*, i 14 y 248.]

Lo interpretemos como lo interpretemos, corrupto o no, estoy convencido de que el pasaje significa 'enrojecido con la sangre de los combatientes'. Si no convence que *feorum* (plural por atracción; todos y cada uno de los enemigos caídos perdieron su *feorh* al verter su sangre) sea equivalente de 'sangre vital', se debe considerar *feonda feorum* como equivalente de *feondum*, y que la expresión resumida 'enrojecido con enemigos' significa 'enrojecido con la sangre de enemigos'.

1152 El final nos habla del regreso de Hildeburh con su pueblo. Por cómo se nos cuenta («seo cwen numen») y por el hecho de que carguen con ella como si fuera un simple botín, no hay nada que muestre la teoría sobre su complicidad; más bien la vemos como a una figura patética, igual que al inicio, una burla de los hados y hombres violentos. Se trata sin duda de una licencia artística que esta «canción», cuyo tema central es Hengest y la violenta disputa, comience, sin embargo, con la desesperada Hildeburh *unsynnum*, afligida por el pesar, y termine con ella. Encaja con el sentimiento «elegíaco» del hombre que redujo con maestría su enrevesado relato y, aun así, trató las partes más trágicas con un lenguaje más libre y pintoresco. Encaja con todas las características de la poesía en inglés antiguo que nos ha sobrevivido, tal y como la conocemos (excepto el *Finnesburh* y el *Waldere*). Y encaja, sin duda, dentro del *Beowulf* como conjunto, donde el Episodio debió de destacar desde que se creó con la forma que conocemos.

Las traducciones

El fragmento

"[…] [hor]nas byrnað."

  [H]næf hleoþrode,   heaþogeong cyning:
"Ne ðis ne dagað eastan,   ne her draca ne fleogeð,
ne her ðisse healle   hornas ne byrnað;

5   ac her forþ berað   [feorhgeniðlan,
5*   fyrdsearu fuslic.]   Fugelas singað,
gylleð græghama: guðwudu hlynneð,
scyld scefte oncwyð.   Nu scyneð þes mona
waðol under wolcnum,   nu arisað weadæda
ðe ðisne folces nið   fremman willað.

10   Ac onwacnigeað nu,   wigend mine!
Habbað eowre [h]lenca[n],   hicgeaþ on ellen,
þindað on orde,   wesað onmode!"

13   Ða aras [of ræste   rumheort] mænig
13* goldhladen ðegn,   gyrde hine his swurde,
ða to dura eodon   drihtlice cempan,

15   Sigeferð and Eaha,   hyra sword getugon,
and æt oþrum durum   Ordlaf and Guþlaf;

2a Næfre hleoþrode ða. 2b hearo geong. 3a Eastun. 11a landa. 11b Hie
geaþ. 12a Windað.

and Hengest sylf   hwearf him on laste.
Ða gyt Garulf[e]   Guðere styrde,
ðæt he swa freolic feorh   forman siþe
20   to ðære healle durum   hyrsta ne bære,
nu hyt niþa heard   anyman wolde;
ac he frægn ofer eal   undearninga,
deormod hæleþ,   hwa ða duru heolde.
"Sigeferþ is min nama," cweþ he,   "ic eom Secgena leod,
25   wreccea wide cuð;   fæla ic weana gebad,
heardra hilda;   ðe is gyt her witod,
swæþer ðu sylf to me   secean wylle."

18b styrode. 20b bæran. 25a Wrecten. 25b weuna. 26a heordra. 29a borð.
29b Genumon.

El fragmento

—[…] los aguilones están ardiendo.

Así habló Hnæf, el belicoso y joven rey:

—No se trata del alba en el este, ni de un dragón que nos sobrevuele, ni tampoco están en llamas los aguilones de este salón; no, unos enemigos mortales se aproximan ya armados. Los pájaros chirrían, los lobos aúllan; las lanzas entrechocan, los escudos responden a las astas. Ahora que la luna brilla, vagando tras las nubes, se desatan actos terribles que pondrán un fin amargo a la conocida enemistad entre los pueblos. ¡Despertad ahora, mis guerreros! ¡Recoged vuestras cotas de malla, pensad en valerosas hazañas, manteneos firmes y con la cabeza bien alta!

Cuando muchos sirvientes valerosos cubiertos de oro se alzaron y se ciñeron las espadas, hacia el umbral se dirigieron los nobles guerreros Sigeferth y Eaha, desenvainando las espadas, y en la otra puerta se apostaron Guthere y Guthlaf; con el mismísimo Hengest pisándoles los talones. Entonces Guthere exhortó a Garulf con su armadura a que no arriesgara una vida tan preciada en el primer ataque contra las puertas del salón, ahora que un audaz guerrero estaba dispuesto a arrebatársela; pero el valeroso héroe alzó la voz por encima del clamor y preguntó quién defendía la puerta.

—Mi nombre es Sigeferth —respondió—. Soy príncipe de los secgan, un conocido aventurero; he sido testigo de muchas rencillas antiguas y batallas terribles, y aquí me tenéis para dictarme el destino que deseéis.

Ða wæs on healle   wælslihta gehlyn:
sceolde celæs bord   cenum on handa
30   banhelm berstan; buruhðelu dynede,
oð æt ðære guðe   Garulf gecrang
ealra ærest   eorðbuendra,
Guðulfes sunu,   ymbe hyne godra fæla,
hwearflicra hræw.   Hræfen wandrode,
35   sweart and sealobrun.   Swurdleoma stod,
swylce eal Finn[e]sburuh   fyrenu wære.
Ne gefrægn ic næfre wurþlicor   æt wera hilde
sixtig sigebeorna   sel gebæran,
39   ne nefre swanaas   sel forgyldan
39*   hwitne medo,   [heardgesteallan,]
40   ðonne Hnæfe guldan   his hægstealdas.
Hig fuhton fif dagas   swa hyra nan ne feol,
drihtgesiða,   ac hig ða duru heoldon.
     Ða gewat him wund hæleð   on wæg gangan,
sæde þæt his byrne   abrocen wære,
45   heresceorp unhror,   and eac wæs his helm ðyr[e]l.
ða hine sona frægn   folces hyrde,
hu ða wigend hyra   wunda genæson,
oððe hwæþer ðæra hyssa […]

33a Guðlafes. 34a Hwearflacra hrær. 38b gebærann. 39-39* Ne nefre
swa noch hwitne medo. Sel forgyldan. 45a Here sceorpum hror.

Entonces el salón se llenó con el ruido de un terrible conflicto: los escudos huecos, protectores del cuerpo, temblaban en las manos de los valientes; las vigas del salón resonaban, hasta que en batalla cayó muerto Garulf, hijo de Guthulf, el primero de los habitantes en perecer, y a su alrededor una hueste de hombres buenos, los cuerpos de los valientes. Los grajos oscuros del crepúsculo volaban en círculos. El destellar de las espadas relucía como si todo Finnesburg estuviera en llamas. Jamás había oído que sesenta gallardos combatientes se desenvolvieran de forma más honorable en una batalla, ni que los compañeros valerosos de un hombre pagaran mejor a cambio del blanco hidromiel que los jóvenes guerreros a Hnæf. Durante cinco días combatieron con tanta destreza que no cayó ninguno de los sirvientes: no, resistieron en las puertas.

Cuando un campeón herido dio media vuelta y exclamó que le habían dañado la cota de malla, que la armadura no servía de nada y que le habían perforado el yelmo, el gobernando de aquellas gentes no tardó en preguntar cómo resistían sus heridas los otros guerreros, o cuál de los dos jóvenes...

El episodio

     Þær wæs sang ond sweg   samod ætgædere
    fore Healfdenes   hildewisan,
1065 gomenwudu greted,   gid oft wrecen,
    Ðonne healgamen   Hroþgares scop
1067 æfter medobence   mænan scolde,
1067* [cwæð him ealdres wæs   ende gegongen,]
    Finnes eaferum,
                Ða hie se fær begeat,
    hæleð Healfden*e*,   Hnæf Scyldinga,
1070 in Freswæle   feallan scolde.
    Ne huru Hildeburh   herian þorfte
    Eotena treowe: unsynnum wearð
    beloren leofum   æt þam li*n*dplegan,
    bearnum ond broðrum;   hie on gebyrd hruron,
1075 gare wunde;   þæt wæs geomuru ides.
    Nalles holinga   Hoces dohtor
    meotodsceaft bemearn,   syþðan morgen com,
    ða heo under swegle   geseon meahte
    morþorbealo maga.   Þær he ær mæste heold
1080 worolde synne,   wig ealle fornam
    Finnes þegnas,   nemne feaum anum,
    þæt he ne mehte   on þæm meðelstede
    wig Hengeste   wiht gefeohtan,
    ne þa wealafe   wige forþringan
1085 þeodnes ðegne.   Ac hig him geþingo budon,
    þæt he him oðer flet   eal gerymd*e*,

1069a healf dena. 1073b hild plegan.

El episodio

Hubo canciones y música ante el capitán de guerra de Healf-dene; de cuando en cuando se tocaba el harpa, y se contaban historias como era debido. Entonces el trovador de Hrothgar, como correspondía a su oficio, rememoró un relato para entrenimiento de los presentes en el salón, sentados en bancos, [y contó cómo les llegó el final] a los hijos de Finn.

Cuando el repentino peligro les sobrevino, se sentenció que el valiente semidanés, Hnæf de la casa de los eskildingos, caería en el *Freswæl*. Hildeburh no tenía motivo alguno para elogiar la lealtad juta: sin tener ninguna culpa, vio cómo en aquel choque de escudos le arrebató a sus seres queridos, hijo y hermano; cayeron porque ese era su destino, heridos por las lanzas; era una dama infeliz. No sin causa se lamentó la hija de Hoc de aquel destino cuando llegó la mañana y, bajo la luz de los cielos, pudo contemplar la vil masacre de su familia. Allí donde antes gozó de la mayor de las alegrías terrenales, la guerra se había llevado a todos los caballeros de Finn, salvo a unos pocos; de modo que en aquel lugar de encuentro no tenía forma de batallar contra Hengest, ni tampoco de arrebatarle mediante la guerra a los supervivientes del desastre al thane del rey. No, le ofrecieron sus términos: debía dejarles libre otro edificio entero, con salón y trono, del que poseerían solo la mitad, y lo compartirían con los hijos de los jutos; y en el momento de entregar regalos, Finn, hijo de Folcwalda, debía honrar a diario a los daneses, y alegrar por igual a las tropas de Hengest con tesoros de joyas y oro como era costumbre para animar a la raza frisona en el salón de la bebida.

healle ond heahsetl,   þæt hie healfre geweald
wið Eotena bearn   agan moston,
ond æt feohgyftum   Folcwaldan sunu
1090 dogra gehwylce   Dene weorþode,
Hengestes heap   hringum wenede
efne swa swiðe   sincgestreonum
fættan goldes,   swa he Fresena cyn
on beorsele   byldan wolde.
1095   Ða hie getruwedon   on twa healfa
fæste frioðuwære.   Fin Hengeste
elne unflitme   aðum benemde,
þæt he þa wealafe   weotena dome
arum heolde;   þæt ðær ænig mon
1100 wordum ne worcum   wære ne bræce,
ne þurh inwitsearo   æfre gemænden,
ðeah hie hira beaggyfan   banan folgedon
ðeodenlease,   þa him swa geþearfod wæs.
Gyf, þonne, Frysna hwylc   frecnan spræce
1105 ðæs morþorhetes   myndgiend wære,
þonne hit sweordes ecg   seðan scolde.
   Ad wæs geæfned,   ond icge gold
ahæfen of horde.   Here-Scyldinga
betst beadorinca   wæs on bæl gearu.
1110 Æt þæm ade wæs   eþgesyne
swatfah syrce,   swyn ealgylden,
eofer irenheard,   æþeling manig
wundum awyrded.   Sume on wæle crungon!
Het ða Hildeburh   æt Hnæfes ade

1086a hie. 1086b gerymdon. 1104b frecnen. 1106b syððan. 1107a að.

Entonces cerraron en ambos bandos un rápido tratado de paz. Finn juró a Hengest, con entusiasmo y sin vacilar, que trataría con honor a los supervivientes del desastre según era el juicio de sus consejeros; que ningún hombre rompería el pacto ni con palabras ni acciones, ni tampoco lo rememoraría con malicia, aunque siguieron al asesino de su señor, al no tener príncipe, pues tal era su necesidad. Sin embargo, si alguno de los frisones de lengua peligrosa recordaba la funesta pugna, el filo de la espada pondría fin al pacto.

Se preparó una pira y hasta allí llevaron oro brillante desde el tesoro. El mejor hombre de la batalla entre los belicosos eskildingos estaba listo para la pira fúnebre. Sobre la pila era posible distinguir muchas cotas de malla manchadas de sangre, la imagen dorada del puerco salvaje, el escudo del jabalí duro como el hierro: muchos nobles destruidos por las heridas. ¡No fueron pocos los que cayeron en la matanza! Entonces Hildeburh ordenó a los hombres sobre la pira de Hnæf que entregaran a su hijo a las llamas para que quemaran cuerpo y hueso, y descansara junto a su tío. La dama lloraba y profería tristes lamentos. El hedor de la carnicería ascendía hacia lo alto. Hacia las nubes se elevaron las más devastadoras de las llamas, rugiendo frente al túmulo funerario. Las cabezas se desintegraron y las heridas se abrieron de repente y la sangre salpicó lejos del cruel lengüetazo de las llamas. El más codicioso de los espíritus consumió la carne de todos aquellos de ambos bandos a quienes la guerra se había llevado. Desaparecía así su gloria.

1115 hire selfre sunu   sweoloðe befæstan,
banfatu bærnan,   ond on bæl don
*ea*me on eaxle.   Ides gnornode,
geomrode giddum.   Guðr*ec* astah.
Wand to wolcnum   wælfyra mæst,
1120 hlynode for hlawe.   Hafelan multon,
bengeato burston,   ðonne blod ætspranc
laðbite li*g*es.   Li*c* eal*l* forswealg
gæsta gifrost,   þara ðe þær guð fornam
bega folces.   Wæs hira blæd scacen!
1125   Gewiton him ða wigend   wica neosian,
freondum befeallen,   Frysland geseon,
hamas ond heaburh.   Hengest ða gyt
wælfagne winter   wunode mid Finne
[ea]l unhlitme;   eard gemunde,
1130 þeah þe he [ne] meahte   on mere drifan
hringedstefnan: holm storme weol,
won wið winde,   winter yþe beleac
isgebinde,   oþðæt oþer com
gear in geardas,   swa nu gyt d*o*ð,
1135 þa ðe syngales   sele bewitiað,
wuldortorhtan weder.   Ða wæs winter scacen,
fæger foldan bearm.   Fundode wrecca,
gist of geardum -   he to gyrnwræce
swiðor þohte   þonne to sælade,

1117a earme. 1118b guð rinc. 1122a lices. 1122b lig ealle. 1134b deð.

Luego los guerreros se marcharon, despojados de amigos, a visitar los pueblos, a investigar Frisia, sus moradas y alta ciudadela. No obstante, Hengest permaneció infeliz con Finn durante todo aquel invierno sangriento; recordaba su tierra, aunque no podía echarse al mar con su barco de proa ensortijada: las tormentas azotaban las profundidades y luchaban contra el viento. El invierno había congelado las aguas, hasta que otro año llegó a los hogares de los hombres, como ocurre aún hoy día, climas magníficos y brillantes en una sucesión interminable que acompañan a las estaciones. Y así se marchó el invierno, y hermoso era el seno de la tierra. El exiliado ansiaba con marcharse, el huésped deseaba dejar atrás la corte, pero entonces pensaba más en la venganza por el dolor que en viajar por el mar, y en si podría soportar otro embate de odio para poder recordar en su corazón a los hijos de los jutos. Y por tanto no se negó a ir a la guerra cuando el hijo de Hunlaf le posó sobre el regazo a Hildeleoma, la mejor de las espadas, cuyos filos eran conocidos entre los jutos. Y así fue como, en su propio hogar, le llegó la cruel muerte a Finn por la espada de aquel de corazón temerario, después de que Guthlaf y Oslaf, habiendo cruzado el mar, informaran del mortal ataque y de su tristeza, y lo culparan de su parte de las desgracias: ya no podían contener más en el pecho al espíritu atribulado.

1140 gif he torngemot   þurhteon mihte
þæt he Eotena bearn   inne gemunde.
Swa he ne forwyrnde   w[e]oroðrædenne,
þonne him Hunlafing   Hildeleoman,
billa selest,   on bearm dyde -
1145 þæs wæron mid Eotenum   ecge cuðe;
swylce ferhðfrecan   Fin eft begeat
sweordbealo sliðen   æt his selfes ham,
siþðan grimne gripe   Guðlaf ond Oslaf
æfter sæsiðe   sorge mændon,
1150 ætwiton weana dæl: ne meahte wæfre mod
forhabban in hreþre.   Ða wæs heal roden
feonda feorum,   swilce Fin slægen,
cyning on corþre,   ond seo cwen numen.
Sceotend Scyldinga   to scypon feredon
1155 eal ingesteald   eorðcyninges,
swylce hie æt Finnes ham   findan meahton
sigla, searogimma.   Hie on sælade
drihtlice wif   to Denum feredon,
læddon to leodum.

1142b worold rædenne. 1151b hroden.

Entonces el salón se enrojeció con la sangre vital de los enemigos, y Finn también fue abatido, rey entre su compañía, y se llevaron a la reina. Los guerreros de los eskildingos cargaron hasta los barcos con todas las riquezas del rey de aquella tierra, y todas las que pudieron encontrar en el hogar de Finn en forma de joyas y gemas preciosas. Llevaron por los caminos del mar a la dama real con los daneses, y la condujeron a su pueblo.

Reconstrucción

Hnæf, hijo de Hoc, representa a una rama del poder marítimo creciente de los daneses, que se extendía desde Escandinavia hacia las tierras en disputa; Hnæf se menciona en el *Widsith* (verso 29) justo después de Sigehere de los daneses del mar. El asentamiento de la familia se encontraba tal vez en la moderna Jutlandia (en el extremo norte de la península Címbrica). Es posible que esta familia o tribu se ganara el apodo de «Half-Dane» 'semidanés, medio danés' bien porque eran mestizos o porque entre su séquito había personas de sangre mestiza. Hengest es un juto (y quizá una figura prominente en algún tipo de disputa puramente juta) que está sin duda al servicio de Hnæf («þeodnes ðegn», verso 1085). Es igual de probable que tanto Hnæf (como representante de un pueblo invasor y usurpador) como Hengest (como seguidor de dicho príncipe, si no por otros motivos) fueran objeto de odio entre los jutos desposeídos y exiliados. En esta situación problemática, Frisia ocupaba una posición dudosa, tal vez representada por la colocación de Finn en el *Widsith* (verso 27) entre los jutos y los daneses.

Finn se traía entre manos un peligroso juego político. Se había desposado con Hildeburh, la hija de Hoc y hermana de Hnæf. Es probable que el hijo de Finn y Hildeburh estuviera bajo la tutela[1] de Hnæf, lo cual explicaría cómo mataron al hijo de Finn y por qué lo colocaron en un lugar especial junto a su tío, y también por qué Hnæf acudió a Frisia. No se trataba en ningún caso de una invasión, ni de una visita inesperada, y sabemos con casi total certeza que la intención original no era tender una trampa, pues de lo contrario no habría sido posible cerrar acuerdo alguno. Hnæf llegó con un gran séquito de al menos sesenta hombres (Fragmento, verso 38), probablemente invitado a finales de otoño para celebrar el Yule. Es probable que llevara de vuelta a casa al hijo de Finn.[2] Pero el peligro de la política de Finn se vuelve aparente: aunque es aliado de los daneses por razón de matrimonio, había permitido o animado a los jutos en el exilio a que se asentaran en Frisia, y muchos de ellos formaban parte de su *comitatus*; es probable que el Garulf que se nos destaca como un joven con una vida preciada en el Fragmento (verso 19) fuera el heredero legítimo de los antiguos reyes jutos; cf. Gefwulf, el rey de los jutos en el *Widsith* (verso 26). En cuanto llegaron Hnæf y su destacado sirviente Hengest, el ambiente se enrareció.

No sabemos a ciencia cierta lo que ocurrió inmediatamente después, porque el Episodio solo nos habla del momento

---

1.   La acogida era habitual en el norte: el padre de acogida o adoptivo solía ser de un estrato social similar, pero con menos riquezas o poder. Cf. la visión escandinava de la acogida o tutela de Hákon por parte de Athelstan de Inglaterra. Finn era obviamente un rey mucho más rico y poderoso que Hnæf.

2.   Es probable que entre los nombres que siguen al de Finn en las genealogías sajonas occidentales aparezca el nombre tradicional de su hijo. Es muy posible que sea Friþuwulf (más arriba, p. 80-81).

posterior a la famosa disputa y *wæl* y el Fragmento comienza cuando el ataque ya se está desarrollando. Es probable que Hnæf (y Hengest) recibieran amenazas; Hnæf tomó entonces (o Finn le permitió que ocupara) el salón real como lugar defendible. Los atacaron de noche (no sabemos si era la primera noche que pasaban en Frisia o no). El Fragmento nos dice que la defensa duró cinco días, durante los cuales no murió ninguno de los defensores, aunque se contuvo severamente a los atacantes. Sin embargo, más tarde debió de producirse un ataque desesperado, en el que es probable que participaran también los frisones, puesto que debían de tener distintos vínculos por razón de matrimonio o amistad con los jutos de la corte de Finn. En este asalto, que probablemente superó las puertas, Hnæf cayó; pero al final consiguieron expulsar a los atacantes. Hengest permaneció allí: era una figura dominante, y capaz de mantener unidos a los daneses restantes y a su propio *heap* juto. El hijo de Finn también cayó, pero creo probable que no fuera como atacante, sino como defensor: es lógico que durmiera en el salón con el hermano de su madre y padre adoptivo, sobre todo si lo habían amenazado. Es probable que los versos 1076 y ss. (*margen*) se refieran a ese último asalto terrible, más que a la mañana posterior al arranque de la guerra.

Ahora llegamos a la tregua propuesta en primer lugar por las personas que había dentro del salón, y que se ha analizado en las notas (pp. 160-164). Estas eran las cartas de los defensores: (1) las pérdidas de Finn habían sido terribles; su guardia personal de caballeros había sido aniquilada casi por completo; necesitarían un tiempo antes de poder atacar de nuevo; (2) estaban en su salón real, que lógicamente deseaba recuperar (y, por tanto, sería improbable que hubiera ardido); (3) ellos, o al menos los *Dene*, contaban con la simpatía de la reina; (4) por lo que sabemos, Finn tampoco tenía ninguna culpa, y lo apenaba profundamente el giro de los acontecimientos. Es probable que Finn sintiera una cierta animosidad hacia Hengest, porque el Episodio nos habla de su incapacidad para resolver la situación con él, o para separarlo de los *wealaf* (daneses contra los cuales no tenía ninguna intención de luchar), y porque los que proponen los términos consideran necesario verbalizar que exigen las mismas condiciones para los jutos. Lo que los defensores tenían en contra era su situación, en última instancia desesperada: podían reducirlos solo mediante la sed y el hambre, y no podían huir en barco, por mucho que consiguieran abrirse paso. De ahí el acuerdo que establecía que lo que quedaba del grupo de Hnæf pasaría el invierno en Finnesburg, y técnicamente aceptarían a Finn como su señor, puesto que era la única fuente posible de manutención y salario, durante ese período en que, en cualquier caso, la intención original era que fueran sus huéspedes.

Pero Hengest estaba agitado, y lo mismo le ocurría por su lado a los *Dene*, que debían pensar entonces en su deuda de sangre por sus familiares y rey caídos. Y así dieron forma a un complot. Colocaron una espada (Hildeleoma pudo ser su nombre, y no un mero *kenning*) en el regazo de Hengest. La frase de «sus filos eran conocidos entre los jutos»[3] demuestra

---

3.   A pesar de la nota de Wrenn, creo que podemos descartar la posibilidad de «gigantes». [La referencia es, aparentemente, de la nota en las pp. 184-5 de la revisión que C. L. Wrenn hizo de la traducción del *Beowulf*

que debió de desempeñar un papel importante en la historia. Es probable que fuera la espada de Hnæf. En ese caso, el «conocidos entre los jutos» sería de una ambigüedad siniestra. El hecho de colocarla en el regazo de Hengest serviría de recordatorio de su lealtad personal hacia Hnæf y su deber de venganza, independientemente de que los *Dene* lo estuvieran nombrando su líder u obligándolo a servir al danés vivo más destacado, Hunlafing. El desarrollo más probable del complot era que en cuanto llegó la primavera, los *Dene* alzaron velas. Hengest se quedó en Frisia; pero Finn estaba acostumbrado a los jutos, y es probable que considerara rota ya la alianza. Pero entonces apareció una nueva fuerza danesa y traicionaron a Finnesburg, pues Hengest seguía dentro. El terrible saqueo se recordó durante mucho tiempo. No sabemos qué le ocurrió a Hengest inmediatamente después, pero parece probable que, si Frisia y el Norte ya no eran lugares seguros para él, reuniera a su *heap* (reforzado con aventureros, jutos, frisones y otros) y se embarcaran en nuevas aventuras más allá de los estrechos: hacia Kent. Podemos interpretar a este personaje como nos plazca. A partir de lo que nos ha sobrevivido en inglés antiguo, es evidente que parece una figura dominante («Hengest sylf», nos dice el verso 17 del Fragmento, en el que se describe la defensa de las puertas); pero no necesariamente una persona traicionera, despiadada o especialmente siniestra. Se vio

---

de Clark Hall, publicada originalmente en 1940 (más arriba, p. 5, nota al pie 13): «A menos que asumamos un error del escriba, debe de referirse más bien a los *eotenas*, probablemente gigantes, entre los cuales (puesto que fabricaban ese tipo de armas mágicas) esta espada especial pudo haber sido famosa».]

superado por las circunstancias. Al final (tras mucho debate y luchas internas), valoró su lealtad y juramento originales a Hnæf por encima de los juramentos que le había hecho a Finn por *þearf*.[4]

Si contáramos con versiones más completas y precisas de esta historia, conoceríamos mucho mejor la visión inglesa sobre los inicios de la conquista de Britania, y mucho más a los misteriosos jutos. Al menos podemos ver en esta leyenda parte de la razón por la que el asentimiento en el sureste de Britania se asocia tradicionalmente con el nombre «juto» (y ese nombre, a su vez, con la parte norte de la península Címbrica), y, no obstante, mantiene un vínculo arqueológico más estrecho con la desembocadura del Rin, y un idioma más relacionado con Frisia que con Dinamarca.[5] Salta a la vista que los problemas políticos de Escandinavia y las Islas preocupaban profundamente a los «anglosajones», como cuna de su raza y cultura. El *Beowulf* no es un poema «épico nacional» (como *Los Lusiadas* o la *Eneida*), sino que nace del corazón de una riqueza vinculada con las tradiciones poéticas que ocupaban un lugar «épico» y «nacional» en la imaginación inglesa antigua, y allí vemos imbricados dos nombres: uno, Offa, asociado con los orígenes remotos del pequeño pueblo que se llamaba a sí mismo *Engle* 'inglés'; otro, Hengest, asociado con ese pueblo de

---

4.   [De hecho, no hay ninguna prueba directa en el texto de que Hengest le jurara nada a Finn: todos los juramentos que se mencionan son los que pronuncia Finn a Hengest (versos 1096-7). Sin embargo, es indudable que en el momento en que Hengest acepta la protección de Finn se insinúa algún tipo de vasallaje a cambio.]

5.   [Más arriba, pp. 115-116 y nota al pie 72.]

frontera agitado y desposeído entre el mundo escandinavo que despertaba y los hogares insulares de muchos pueblos pesqueros, los antiguos jutos.

APÉNDICE A: LOS DANESES

En el *Widsith*, se menciona a los daneses en cuatro lugares. Tenemos a Sigehere y a los «Sæ-Dene» (28) en relación con Finn y Hnæf; Alewih y los «Dene» (35) en relación con Offa; a Hrothgar y Hrothulf (45) en relación con los hetobardos (su condición de daneses no llega a mencionarse), y «mid Sweom ond mid Geatum ond mid Suþ-Denum» (58) en un contexto que se olvida de dinastías y que es puramente escandinavo o «Scedelandés», donde *Suþ* sea probablemente un antiguo afijo que hace referencia a la ubicación original en relación con sus vecinos del norte, lo que permitió encajar esta remota tríada en un verso aliterativo.

Esta profusión de alusiones refleja, sin duda, la importancia de los daneses en el mundo «anglofrisón» y las turbulentas aguas de los mares Báltico y del Norte. También podría indicar que en los tiempos que alcanzan estas tradiciones, los elementos que llevaban el nombre «danés» no estaban políticamente unidos, ni «gobernados» por los reyes de *Scedeland*; era una época de desplazamientos. Había trotamundos e invasores daneses (como el eskildingo posterior Helgi) que también podían considerarse «reyes». Compárese en las expansiones posteriores, una continuación probable de los procesos que perturbaron el mundo norteño en el siglo v, con los vencedores independientes de reinados en Inglaterra y otros lugares.

Compárese también con la tendencia a que el poder central se desplazara a zonas adquiridas más tarde (donde esto era importante y la colonización abundante) bajo el mando de Canuto el Grande, aunque en realidad el imperio anglodanés no triunfara, más allá de lo que se piense de la formación juta-hetobarda-danesa (por no mencionar otros ingredientes). No obstante, podemos encontrar sin duda parte de la explicación en la recopilación que hace el *Widsith* de relatos de distintos héroes y reyes de períodos diferentes,[1] como es el caso de los godos. Ese amplio poder, que no desunión dispersa, y la centralización de las «colonias» danesas y los vecinos humillados bajo el mando de una casa (un factor ciertamente perturbador en el Norte durante los siglos v y vi) tal vez pueda verse reflejado en los prefijos *norþ*, *suþ*, *east*, *west* (así como la mayoría de los prefijos honoríficos) que encontramos en el *Beowulf*, aunque su creación pudo derivar de formas más antiguas (y con otro significado) como *Suþ-Dene* (más arriba).[2]

1.   Así, Alewih, cuya mención en el mismo verso que Offa no parece ser casual (dado que la historia de Offa continúa después de que se le nombre), pertenecería, si nos basamos en cálculos aproximados de la genealogía de reyes mercianos, al siglo iv y sería anterior a la historia de Finn.

2.   También encontramos «East-Denum» en el *Rune Poem* (verso 67) [*ASPR* VI 29]. Su significado aquí es menos claro, pero (teniendo en cuenta que los poetas aliterativos eran muy capaces) es probable que esté relacionado con la ubicación del culto a Ing y no solo con su vocal inicial.

La datación de Healfdene y los reyes daneses mencionados en el *Beowulf* se basa sobre todo en el saqueo gauto de Hygelac. Hygeld reinó en Gautlandia mientras Hrothgar reinaba todavía en Dinamarca, pero era sin duda más joven. El vínculo directo es Beowulf. Él, y su visita a Heorot, pueden o no tener no base histórica, pero al menos se nos presentan para encajar más o menos con una cronología en la que resulta evidente que la tradición tenía algo que decir en el momento en que se compuso el poema. Beowulf es el sobrino de Hygelac, un joven adulto sin experiencia en el momento de la visita, salvo en los actos temerarios propios de la infancia.

La caída de Hygelac debemos datarla hacia el año 525, aunque podríamos avanzarla incluso hasta el 530.[1] En ese momento, Heardred seguía siendo menor, pero Beowulf era mayor de

---

1.   [La fecha de la muerte de Hygelac es incierta, y depende de la interpretación de un pasaje en la *Historia Francorum* de Gregorio de Tours (Klaeber, *Beowulf*, 267-8). La fecha de Tolkien probablemente se base en el análisis de Chambers, *Introduction*, 381-2; pero en su segunda edición (pp. 383-7) Chambers modificó ligeramente su posición. Klaeber adopta la fecha 521 (*Beowulf*, p. xxxix). A pesar de esa fecha temprana para la muerte de Hygelac, Klaeber sitúa los nacimientos de Healfdene y Hrothgar casi diez años más tarde que Tolkien (p. xxxi).]

edad y tenía la experiencia suficiente como para mencionarlo como rey, aunque eligiera ser regente.

Esto puede expresarse mejor con la cronología siguiente:

Hygelac nace hacia el 480-5, muere (con unos 45 años) hacia el 525 o algo más tarde. **Heardred**, nace hacia el 515, o algo más tarde, y en ese momento tiene unos 10 años; hijo probablemente de su segunda esposa, **Hygd**,[2] mencionada específicamente como «swiðe geong» (*B.* 1926) en el momento del regreso de Beowulf. Por tanto, **Beowulf** debió de nacer hacia el año 500, y, en todo caso, no mucho antes. Debemos imaginar por tanto que su visita a Heorot se produce hacia el 520, cuando contaba con 20 años o algunos más, entre unos cinco y diez años antes de la muerte de Hygelac. En ese momento, Hrothgar ya era un anciano, aunque sus hijos todavía no habían entrado en la edad adulta. Aunque no se nos dice de forma explícita, resulta bastante evidente que Wealhtheow, su esposa, es bastante más joven que el rey, bien porque se trate de su segunda esposa o porque se desposara a una edad avanzada. El hijo del hermano menor del rey ya es un hombre y se le asocia al poder con Hrothgar.

En ese período, Hrothgar ya debía de llevar un tiempo en el trono. Era el segundo hijo varón, y posiblemente el tercer retoño, de un hombre que vivió hasta una edad provecta (véase más abajo). No es necesario por tanto forzar las palabras del *Beowulf* (versos 465-6) donde Hrothgar dice de sí mismo que comenzó a reinar tiempo atrás en su juventud, tras la muerte

---

2.   Dado que se había entregado a una hija en matrimonio a Eofor tras la muerte de Ongentheow, un hecho que representaría un período de decadencia sueca favorable para los saqueos hacia el sur.

de Heorogar, y cerca del momento de la disputa de Ecgtheow y su huida a la corte danesa. Es la «juventud» de un hombre concebido por el poeta, sin duda por deferencia a una tradición fuerte, como anciano. De hecho, si Hrothgar contaba con unos 35 años cuando subió al trono, podríamos aceptar que pasaron unos 20 años de reinado antes de la fecha de la visita a Heorot, algo que cuadraría bien con la edad de Beowulf (digamos, unos 25), y con el hecho de que Ecgtheow ya había muerto.

Por tanto, podemos anotar que **Hrothgar** nació hacia el año 460. Subió al trono hacia el 495 y en el 520, en el momento en que Beowulf acudió a su corte, debía de tener unos 60 años. No podemos tomarnos literalmente las expresiones utilizadas en el *Beowulf* para indicar que en aquel momento Hrothgar había reinado 62 años (!) («twelf wintra tid» + «hund missera», versos 147 y 1769). En primer lugar, se trata de números convencionales, y significan (en poesía) un período más breve y un período largo. En segundo lugar, la tradición de la edad venerable de Hrothgar al final de su reinado ha influido (como es natural) en el relato del rey en un momento que se supone dentro de su reinado.

Healfdene, por su parte, era una persona conocida para su edad. Si el capítulo 64 del *Skáldskaparmál*[3] es tardío, y en él se libera a Halfdanr de sus asociaciones históricas, aún podemos ver esta tradición de la edad en el momento de su muerte en la historia de su sacrificio y su reacción modificada; que su

---

3.   [El capítulo se ha renumerado en ediciones modernas. Es el capítulo 81 del *Skáldskaparmál* incluido en Finnur Jónsson, *Edda Snorra Sturlusonar* (Copenhague, 1931) 181.]

edad, en cualquier caso, debía pasar a la posteridad. Se lo recordaba como *gamol* (y *guðreow*) en Inglaterra, y como *gamall* en Escandinavia. Esto significa que aún reinaba siendo ya anciano, a una edad inusual para un rey belicoso, bien muriera finalmente en la cama a una edad avanzada, a pesar de su *atrocitas* (IA *guðreow*) y una hueste de enemigos, como afirma Saxo,[4] bien lo asesinara Froda de los hetobardos, tal como sugiere una lectura posible de la tradición que trata sobre esa antigua disputa. Ya hemos llegado a una fecha cercana al año 495 para la ascensión de Hrothgar como un hombre de unos 35 años (nacido hacia el 460). También es razonable ir un paso más allá y considerar que si **Healfdene** murió, o fue asesinado, a una edad provecta memorable, hacia el 495, debía de haber nacido, como tarde, hacia el 435.

Podemos presentar nuestra teoría de la cronología de la manera siguiente:

1. Nacimiento de Hnæf hacia el 420-5.
2. Nacimiento de Hengest hacia el 425.
3. Nacimiento de Healfdene hacia el 430-5.
4. El *Freswæl* tiene lugar en *Finnes burg* hacia el 452. Healfdene tiene entonces entre 17 y 22 años, y su tío Hnæf, que falleció allí, unos 30. Hengest, el thane del rey, tiene entre 25 y 30 años; Hildeburh, la hermana del rey, no menos de 33; su hijo, 15 o más.
5. Hacia el 453: Hengest y Horsa llegan a Britania. «Oesc», hijo de Hengest, no es más que una criatura. Horsa cae en batalla poco después del inicio de las hostilidades entre los britanos y los «mercenarios».

---

4. [Müller, *Saxo*, 80; Holder, 51; Elton, 62; Klaeber, *Beowulf*, 259.]

6. Hacia el 460-5: Nacimiento de Hrothgar, segundo hijo de Healfdene.

7. Hacia el 470: «Oesc» se convierte en guerrero. La última mención de Hengest en Britania data del 473, aproximadamente. Su muerte no aparece registrada, pero sí la de Horsa. Es probable, por tanto, que no lo mataran, sino que muriera en algún momento posterior al año 475 (digamos), cuando contaba con unos 50 años; aunque también es posible que sobreviviera hasta el año 490 aproximadamente, con unos 65 años.

8. Hacia el 480-5: Nacimiento de Hygelac de los gautas.

9. Hacia el 490 (488): Se funda el reino de Kent con «Oesc» a la cabeza del linaje real.

10. Hacia el 495-505: Muerte de Healfdene el eskildingo (con unos 60-70 años); ascensión al trono de Hrothgar con 35 años o más.

11. Nacimiento de Beowulf entre el 495 y el 500.

12. Hacia el 512: Muerte de «Oesc».

13. Hacia el 515: Nacimiento de Heardred.

14. Beowulf visita a Hrothgar hacia el 520 o incluso algo más tarde. (Hrothgar tiene unos 60 años.)

15. Caída de Hygelac hacia el 525-30.

Tolkien presupone sin discusión que si el Hengest del *Freswæl* es el mismo hombre que el Hengest de Britania, es indudable que debía de ser juto.[1] La identificación de ambos héroes me parece correcta, pero la presuposición de que el Hengest del *Freswæl* era juto implica algunas dificultades sustanciales en la interpretación del texto del Episodio. Tras la muerte de Hnæf, el liderazgo de sus hombres parece haber recaído sobre Hengest: la interpretación lógica de los versos 1089-94 equipararía el «Hengestes heap» con los *Dene*.[2] Como líder, lo normal es que Hengest hubiera propuesto las condiciones del acuerdo, y sin duda es a él a quien Finn pronuncia su juramento (versos 1096-7); con todo, el acuerdo establece que los proponentes compartan un salón con los jutos. Pero no es posible que sean los jutos de Finn: sería de una estupidez supina esperar que los participantes en la reciente disputa mortal convivieran viéndose las caras constantemente; y, en ese caso, Finn no habría «desalojado» el salón (verso 1086). Por tanto, debían de ser los jutos de Hnæf. Si Hengest era uno de ellos, ¿qué sentido tiene

1.   Véanse pp. 111, 161, 206 y (desde un punto de vista menos dogmático) la nota al pie 70 de la p. 114,

2.   El liderazgo de Hengest no obviaría la necesidad de una declaración formal de lealtad (versos 1142-4) como acto preliminar a la venganza.

que se diga que compartía un salón con ellos?[3] Parecería, pues, que Hengest no era juto, aunque tampoco es necesario suponer entonces que era danés: en el Fragmento hay pruebas de que había hombres de otras tribus en el séquito de Hnæf. No hay pista alguna en el Fragmento o el Episodio sobre la nacionalidad del Hengest del *Freswæl*; por ello, tal vez merezca la pena examinar qué pruebas tenemos sobre la nacionalidad del Hengest de Britania.

Es imprescindible tratar con una cierta cautela el uso de nombres tribales por parte de escritores tempranos. En concreto, los hablantes de lenguas célticas utilizaban el término «sajón» para referirse sin distinciones a los pueblos de origen germánico.[4] Podemos encontrar un ejemplo curioso de este uso en la versión en irlandés medio de la *Historia eclesiástica del pueblo de los anglos*, de Beda, donde un conocido pasaje del Libro I, Capítulo XV, se traduce así: «Tri cinela Saxan tancatar assin Germain .i. Saxain / Angli / Iuti» 'Tres tribus de sajones llegaron de Alemania, a saber, sajones, anglos y jutos'.[5] Este

---

3. La nota de Tolkien sobre el verso 1087, añadida más tarde a sus conferencias, parece pensada para discutir precisamente esta objeción. La primera parte del tratado, sugiere él, la propusieron los daneses; Hengest, como acto de gratitud, insistió en añadir cláusulas adicionales que favorecieran a los daneses. La idea es ingeniosa, pero poco convincente; no es algo que se desprenda directamente del texto, pero tiene regusto de petición especial.

4. Cf. Myres, *Settlements*, 343: «Para el provinciano asustado, la etnología concreta de los que habían saqueado su hogar le importaba más bien poco; para él eran todos sajones».

5. O. J. Bergin, «A Middle-Irish Fragment of Bede's Ecclesiastical History», en *Anecdota from Irish Manuscripts*, editado por O. J. Bergin, R.

uso lo adoptarían más tarde los primeros escritores celtas en latín, y *Saxones* se convirtió en el término latino estándar para referirse a cualquier pueblo germánico;[6] en los textos en IA, los términos derivados de *Angel* se generalizaron por igual.[7] Por tanto, al valorar las pruebas de escritores tempranos, resulta prudente descartar el uso de *Saxones* en latín y las palabras derivadas de *Angel* en inglés antiguo. De ahí que no debamos considerar significativa la referencia de Gildas (que no menciona a Hengest) en «ferocissimi illi nefandi Saxones deo hominibusque invisi».[8]

La historiografía ha dado generalmente por sentado, a partir de las pruebas de Beda, que Hengest y Horsa eran jutos, pero, de hecho, Beda no lo afirma en ningún sitio. Lo que sí afirma, en efecto, como el resto de las autoridades, es que Hengest fue el primer invasor de Kent, y que su hijo Oisc fundó la dinastía real kéntica, los *Oiscingas*;[9] y, como veremos, dice con bastante claridad que los pobladores de Kent eran jutos. Sin embargo, de eso no se desprende que el líder de una tribu tenga necesariamente los mismos orígenes étnicos que la tribu en sí misma: es posible, por ejemplo, que los primeros líderes de los sajones occidentales fueran en realidad *Gewisse*, y de un origen distinto al pueblo que gobernaban.[10] Lejos de afirmar que

---

I. Best, Kuno Meyer, J. G. O'Keeffe, vol. III (Halle, 1910) 63-76, p. 68. *Iuti* aparece mal escrito como *Riti* en el original.

6. Chadwick, *Origin*, 56.
7. *Ibidem* 57.
8. Mommsen, *Chronica Minora*, 38.
9. Plummer, *Bede*, 90.
10. Myres, *Settlements*, 403-4.

Hengest fuera juta, Beda a veces se desvía para referirse a los primeros invasores de Britania como *Angli*. Su uso de «Anglorum siue Saxonum gens» (i 15) puede ignorarse:[11] *Saxones* es el término habitual en latín, y la alternativa *Angli* puede tratarse de un gesto hacia el uso vernáculo. No obstante, sí debemos tomárnoslo más en serio cuando en su Resumen cronológico (v 24) se refiere a los «Angli a Brettonibus accersiti»,[12] puesto que aquellos invitados de los britanos fueron los primeros pobladores de Kent. Aún más sorprendente resulta el uso en su *Chronica Maiora* (§484), donde sigue de cerca a Gildas. Cuando Vortigern busca nuevos aliados que lo defiendan de los pictos, Gildas se refiere a los recién llegados como «lues [...] hostium novorum»; a lo que Beda añade la frase «id est Anglorum».[13]

A la luz del énfasis que hace Beda en los *Angli*, tal vez valga la pena estudiar con detenimiento su minuciosa descripción de las afiliaciones tribales de los invasores de Britania (i 15):[14]

Provenían de tres poderosos pueblos germánicos, los sajones, los anglos y los jutos. De los jutos descienden los Cantuarii y los Victuarii, esto es, los pueblos que hoy gobiernan la isla de Wight y lo que hoy llamamos la *Jutarum natio* en la provincia de los sajones occidentales que hay frente a la isla de Wight. De los sajones, es decir, de la región que ahora llamamos de los

---

11. Plummer, *Bede*, 30.

12. *Ibidem* 352.

13. Mommsen, *Chronica Minora*, 303; los pasajes extraídos de Gildas aparecen impresos en cursiva, y los añadidos en tipografía romana.

14. Plummer, *Bede*, 31; traducido por Myres, *Settlements*, 336.

antiguos sajones, provinieron los sajones orientales, los sajones meridionales y los sajones occidentales. Y de los anglos, es decir, del país que llamamos Angulus, y que hasta ahora se cree que sigue deshabitado entre las provincias de los jutos y los sajones, descienden los anglos orientales, los anglos medios y los mercianos, el pueblo entero de los northumbrianos... y los otros pueblos anglos. Se cree que sus primeros líderes fueron los hermanos Hengist y Horsa.

Tal como apunta Myres,[15] «es más lógico que el liderazgo de Hengist y Horsa se aplique a los anglos de los que se habla en la frase anterior que a los sajones o los jutos». Para evitar esta implicación, que refutaría la doctrina aceptada, Myres sugiere que las «tres frases etnológicas» fueron una idea posterior de Beda, que ha «roto el hilo de su narración y confundido el significado»; pero esto no es más que una conjetura *ad hoc*, y el sentido lógico del pasaje es que Hengist y Horsa fueron los primeros líderes de una banda de anglos.

Con todo, debemos admitir que las pruebas de Beda no son concluyentes: por mucho que deje claro que los anglos estuvieron involucrados en la primera invasión de Kent, no se especifica cuál fue su papel concreto. Por fortuna, en los casos en que Beda es ambiguo, Nennio es más claro. Podemos ignorar su referencia a *Saxones* en § § 31 y 36,[16] pero su afirmación en §37 es bastante distinta:[17] Hengest responde a Vortigern «inito consilio cum suis senioribus, qui venerunt secum de

15. *Loc. cit.* 337, nota al pie 1.
16. Mommsen, *Chronica Minora*, 172, 176.
17. *Ibidem* 178.

insula Oghgul» 'tras haber oído los consejos de los ancianos, que habían viajado con él desde la isla de Angeln'.[18] Angeln no es una isla, obviamente, sino un pequeño distrito delimitado por mares y canales de agua, y Nennio especifica claramente que tanto Hengest como su séquito más cercano de consejeros eran anglos. Aquí no hay duda posible: la referencia a Angeln es mucho más concreta que el simple nombre tribal *Angli*, e incluso eso habría sido significativo en un texto latino. Es posible que Nennio se equivocara, pero al menos no era ambiguo. Si está en lo cierto, y si Beda conocía esa información, es fácil comprender por qué Beda se refería a los invasores de Kent como anglos, incluso aunque la mayoría de los pobladores fueran jutos. Podemos encontrar la confirmación de que los gobernantes, si no los habitantes, de Kent eran anglos en las *Lex Angliorum et Werinorum, hoc est Thuringorum*:[19] el sistema social descrito en este documento se parece hasta cierto punto al sistema que distingue a Kent del resto de los reinos

18. La obra posterior *Nennius Interpretatus* sustituye esta cláusula por la expresión neutra «inito consilio cum Saxonibus». Jamás se ha dudado de que *Oghgul* signifique 'Angeln', pero no se le ha encontrado explicación a la curiosa ortografía, y, de hecho, ni siquiera se han hecho observaciones al respecto. El *ul* final refleja sin duda la forma latina de Beda *Angulus*; la *O* inicial podría reflejar la alternancia en IA entre *a* y *o* antes de una nasal; compárese *Ongle* en el *Widsith* 8, 35. Un escriba galés tendría problemas para reproducir la secuencia /ŋg/, dado que en galés antiguo solo aparecía en compuestos, y no es el caso. El fonema /ŋ/ se representaba con *ng* o *g*, el fonema /g/, con *g* o *c*; la secuencia *ghg* podría representar un intento de combinar las dos funciones del símbolo *g*.

19. Impreso por K. von Richthofen en *Monumenta Germaniae Historica*, editado por G. H. Pertz, *Leges* vol. 5 (Hanover, 1875).

anglosajones.[20] Es evidente que los anglos y los Wærne sobre los que se compiló el documento no habitaban la península Címbrica, pero es probable que emigraran desde allí hasta Turingia, y que las *Lex* reflejen un sistema que llevaron con ellos. Cabe destacar el comentario de Myres:[21] «existen argumentos de peso para creer que las familias reales, y no solo las de los distritos anglos de Inglaterra, sino incluso también las de Kent y Wessex, no tenían orígenes sajones, sino anglos, en sus hogares continentales».[22]

20. Chadwick, *Origin*, 81-3, 108.

21. Myres, *Settlements*, 344.

22. Podemos encontrar una prueba de un valor muy dudoso en las «Leges Anglorum Londiniis», de aproximadamente 1210, impreso por Felix Liebermann, *Die Gesetze der Angelsachsen* (Halle, 1898-1916) i 658:

De illis, qui possunt et debent de iure cohabitare et remanere in regno Britannie [...].

Guti uero similiter cum ueniunt, suscipi debent et protegi in regno isto sicut coniurati fratres nostri et sicut propinqui et proprii ciues regni huius: exierunt enim quondam de nobili sanguine Anglorum.

La fuerza de este fragmento se ve en cierto modo reducida por la frase siguiente:

Saxones uero Germanie cum ueniunt in regno, suscipi debent et protegi in regno isto sicut coniurati fratres nostri et sicut proprii ciues regni huius: exierunt enim quondam de sanguine Anglorum, scilicet de Engra ciuitate, et Anglici de sanguine illorum, et semper efficiuntur populus unus et gens una.

Engra es sin duda una corrupción de *Angeln* o *Angulus*, tal como Liebermann sugiera en su nota. Las leyes se atribuyen a Ine («Ita constituit optimus Yne rex Anglorum»), y tal vez sea posible que aquí se conserve algún tipo de tradición antigua.

Hay otra prueba que no trata sobre el séquito de Hengest, sino con su nacionalidad como individuo. Según las genealogías en IA,[23] el abuelo de Hengest era Witta; según el *Widsith* (verso 22), Witta era el gobernante de los *Swæfe*. A los *Swæfe* se los menciona dos veces más en el *Widsith* (versos 44 y 61), siempre junto con los anglos: en los versos 42-44 queda patente que las dos tribus tienen una frontera común, pero la relación concreta entre las dos sigue siendo incierta. Existe un cierto consenso en identificar a los *Swæfe* con los *Suebi* o *Suabi* de los escritores clásicos, pero este nombre parece haberse utilizado parar cubrir una gran confederación de tribus diferentes: Tácito, por ejemplo, presenta una lista de tribus (incluidos los *Angli*) que juntas constituyen el grupo más grande de los *Suebi*.[24] El geógrafo Ptolomeo llama *Suebi Angili* a los anglos;[25] por desgracia, los sitúa en una zona incorrecta, pero su error tiene explicación.[26] Parece razonable suponer que los *Swæfe* y los anglos estaban estrechamente relacionados. Las pruebas del *Widsith* excluyen la posibilidad de que ambos nombres se usaran para el mismo pueblo: las dos tribus no solo compartían una frontera común, sino que los anglos estaban liderados por Offa (verso 35) y los *Swæfe* por Witta (verso 22). Tal vez los *Swæfe* habitaran al sur de los anglos en Schleswig, cerca de

23. Para un análisis completo de las genealogías, véase más abajo, pp. 271-274.

24. *Germania*, xxxviii-xl: J. G. C. Anderson, *Cornelii Taciti de Origine et Situ Germanorum* (Oxford, 1938) 24-6.

25. Ptolomeo II 11 8: Otto Cuntz, *Die Geographie des Ptolemaeus* (Berlín, 1923) 63.

26. Chambers, *Widsith*, 243-4.

la moderna Schwabstedt.[27] Es posible que los anglos establecieran algún tipo de hegemonía sobre los *Swæfe*, de modo que los gobernara una rama de la casa real de los anglos; pero esto no son más que conjeturas.[28] En tal caso, tampoco se deduciría necesariamente que Hengest fuera un príncipe de los *Swæfe*, como presupone Malone:[29] pudo pertenecer a una rama secundaria, y es posible que tuviera un vínculo más estrecho con los anglos. Lo que sí se deduciría es que Hengest era de estirpe real, una cuestión de una cierta importancia (más abajo, p. 276-277).[30]

El nombre *Hengest* significa 'semental'; el nombre Hors (utilizado por Nennio) significa 'caballo'; la forma familiar *Horsa* es un hipocorístico de *Hors*. Chadwick sugiere que *Hengest* y *Hors(a)* «no eran los nombres originales con que se bautizó a los dos hermanos, sino apodos que se ganaron más tarde».[31] Si *Hengest*

27. *Ibidem* 194.

28. Compárese el gobierno de Frovino sobre Schleswig: Müller, *Saxo*, 162; Holder, 107; Elton, 131. Frovino y su hijo Vigo aparecen como Freawine y su hijo Wig en la genealogía sajona occidental; véase más arriba, p. 79, nota al pie 33.

29. Malone, *Literary History*, 20.

30. Compárese la prueba de Geoffrey de Monmouth (VI x): «Nos quoque duos germanos, quorum ego Hengistus, iste Horsus nuncupamur, prefecerunt eis duces, nam ex ducum progenie progeniti fueramus». Véase Acton Griscom y R. E. Jones, *The Historia Regum Britanniae of Geoffrey of Monmouth* (1929) 367.

31. Chadwick, *Origin*, 45, nota al pie 1. Malone (*Literary History*, 23) parece opinar lo mismo al equiparar tímidamente a Hors con el Eaha del Fragmento; es indudable que esta posibilidad surge de la similitud de *Eaha* con el IA *eoh* 'caballo', de la cual tal vez sea una forma hipocorística northumbriana.

y *Horsa* eran apodos, sería sin duda interesante y tal vez esclarecedor recuperar los nombres verdaderos de los hermanos. Podría argüirse que el nombre verdadero de Hengest era *Oisc*. Según el «Geógrafo de Rávena», el nombre del líder de los invasores de Britania era *Ansehis* (más arriba, p. 114, nota al pie 70); siempre se ha considerado un error de *Anschis*, que reproduce el germánico **Anskiz*, el antecedente regular de *Oisc*; y Beda, como hemos visto, registra el dato de que se conociera a la familia real kéntica como los *Oiscingas* (ii 5).[32] Sin embargo, es difícil sostener esa hipótesis, puesto que la *Crónica* distingue claramente entre Hengest y Æsc, y registra las actividades de ambos (véase el extracto más arriba, p. 114-115).[33]

Podemos encontrar una pista en las diversas relaciones entre Hengest, Oisc y Octa. Según Beda (ii 5),[34] Oisc era el hijo y Octa, el nieto de Hengest; la *Crónica* también define a Æsc como hijo de Hengest (año 455). Según Nennio (§58), sin embargo, Octha era el hijo, y Ossa (es decir, Oisc), el nieto de Hengest;[35] asimismo, la genealogía temprana del MS Vespasian B vi define a Ocga (es decir, Octa) como el hijo y a Oese (es decir, Oisc) como el nieto de Hengest.[36] Este es el tipo de confusión que podría surgir si el verdadero nombre de Hengest

32. Plummer, *Bede*, 90.

33. La relación entre los nombres *Oisc* y *Æsc* se ha explicado de distintas formas: véase más arriba, p. 114, nota al pie 70, y Kenneth Sisam, «Anglo-Saxon Royal Genealogies», *Proceedings of the British Academy* xxxix (1953) 287-348, p. 338 y nota al pie 1.

34. Plummer, *Bede*, 90.

35. Mommsen, *Chronica Minora*, 203; cf. también «Octha filius eius» en §56, p. 199.

36. Sweet, *OET*, 171.

hubiera sido *Octa*: una vez se olvidara la identidad, y solo se recordara que Octa estaba estrechamente relacionado con Hengest, el nombre tendría que encajarse en algún lugar conveniente de la genealogía. Para aquellos que sabían que Oisc había sucedido a Hengest como rey de Kent, Octa debía ser el nieto; para aquellos que no las tenían todas consigo sobre la posición de Oisc, tal vez fuera más lógico situar a Octa lo más cerca posible de Hengest. El cronista Æthelweard era miembro de la familia real de Wessex y tenía sangre juta;[37] por tanto, es posible que tuviera acceso a información tradicional que no estuviera presente en sus fuentes escritas. Según Æthelweard, el hijo de Hengest era «Ochta qui prænominabatur Ese» 'Octa, apodado Oisc';[38] es posible que supiera que Octa era el nombre verdadero de alguien que respondía a un apodo, pero se equivocó al elegir el sobrenombre. *Oisc*, de significado desconocido, es intrínsecamente un apodo mucho menos probable que *Hengest* 'semental'.[39]

Si el nombre real de Hengest era *Octa*, es probable que el nombre real de Horsa fuera *Ebissa*. En la *Historia Brittonum* (§38), Hengest le dice a Vortigern:[40]

---

37. La madre de Alfredo, Osburh, era juta, según Asser: véase W. H. Stevenson, *Asser's Life of King Alfred* (Oxford, 1904) 4.

38. Campbell, *Æthelweard*, 18.

39. La afirmación de Beda (ii 5) de que el nombre verdadero de Oisc era *Oeric*, un nombre que no aparece en ninguna otra genealogía, puede que sea relevante aquí; sobre una posible explicación de la afirmación de Beda, véase más abajo, p. 274.

40. Mommsen, *Chronica Minora*, 179.

> invitabo filium meum cum fratueli suo, bellatores
> enim viri sunt, ut dimicent contra Scottos [...] et
> [Guorthigirnus] iussit ut invitaret eos et invitavit:
> Octha et Ebissa cum quadraginta ciulis.

La inusual forma *fratuelis* ocupa el lugar de la forma más normal *fratruelis*, y, por desgracia, la palabra es ambigua. En latín clásico, significa 'hijo del hermano del padre';[41] en latín medieval, conserva el significado clásico, pero también puede significar 'hijo de la hermana de la madre', e incluso 'hijo del hermano'.[42] En la obra posterior *Nennius Interpretatus*, el pasaje es bastante diferente:

> mittam in Lochlandiam ad invitandos filium meum et
> filium sororis eius matris et dimicabunt contra hostes
> [...] iussit Guorthigernus invitari eos et invitati sunt
> et venerunt Octha filius Hengisti et Ebissa cum
> quadraginta navibus.

Aquí, *fratruelis* se ha tomado con el significado medieval de 'hijo de la hermana de la madre'. Por último, el documento tardío MS Cambridge U. L. Ff i 27 incluye una lista de capítulos que no aparecen en otros textos de la *Historia Brittonum*, y el encabezado del capítulo XXXVII reza lo siguiente:[43]

---

41. C. T. Lewis y Charles Short, *A Latin Dictionary* (Oxford, 1894) s. v.

42. J. F. Niermayer, *Mediae Latinitatis Lexicon Minus* (Leiden, 1957,76) s. v.

43. Mommsen, *Chronica Minora*, 129.

Qualiter Hengistus Ottam filium suum et Ebissam
filium Hors fratris sui ad aquilones partes Britanniae
invitavit.

Aquí, *fratruelis* se usa con el significado clásico de 'hijo del
hermano del padre', y la relación se explicita aún más al incluir el nombre de Horsa. Si esta relación es la prevista por
Nennio, parece posible que, igual que *Octa* podría ser el verdadero nombre de Hengest, *Ebissa* sea el verdadero nombre
de Horsa; en cada caso, una vez olvidadas sus identidades, el
apodo y el verdadero nombre se asignaron a unos hipotéticos
padre e hijo.

Se ha discutido hasta ahora que Hengest podría haber sido
anglo, y de estirpe real. Si tenemos en cuenta que las genealogías mercianas se remontan a Offa, rey de los anglos en el siglo
IV, tal vez nos resulte iluminador comparar las genealogías de
las familias reales de Mercia y Kent:

	Woden	Woden
300	Wihtlæg	
330	Wærmund	Wehta
360	Offa	Witta
390	Angeltheow	Wihtgils
420	Eomær	Hengest
450	Icel	Oisc
480	Cnebba	Octa
510	Cynewald	Eormenric
540	Creoda	Æthelberht
570	Pybba	
600	Penda	

La genealogía merciana es la que encontramos en la *Crónica*, año 626; una segunda versión, del año 755, coincide en los niveles superiores a Penda. El MS Vespasian B vi sustituye *Angengeot* por *Angeltheow* y añade *Waðolgeot* entre *Woden* y *Wihtlæg*;[44] Nennio añade *Guedolgeat* y *Gueagon* entre *Woden* y *Wihtlæg*.[45] La genealogía kéntica se basa en Beda, con algunos ajustes ortográficos.[46] Ya se han analizado las variaciones de los nombres que hay por debajo de Hengest (más arriba, p. 268), pero también hay variaciones por encima de Hengest. El MS Vespasian B vi ofrece la secuencia «Uoden – Uegdæg – Uihtgils – Uitto – Hengest»;[47] Æthelweard (ii 2) muestra «Wothen – Wither – Wicta – Wihtgels – Hengest».[48]

Las fechas de la primera columna ofrecen las fechas de nacimiento aproximadas de los gobernantes que hay justo a continuación; se basan en la presuposición habitual de que una generación equivale a treinta años, y el punto de partida es el nacimiento de Penda.[49] Es evidente que estas fechas son muy poco fiables, dado que una secuencia de vidas breves o largas podría introducir errores sustanciales; con todo, la contemporaneidad de los nombres correspondientes es prácticamente indudable. La contemporaneidad de Offa y Witta nos

44. Sweet, *OET*, 170.

45. Mommsen, *Chronica Minora*, 203.

46. La genealogía de Beda se divide en dos partes (i 15, ii 5); véase Plummer, *Bede*, 31-2, 90. El segundo pasaje aparece impreso más arriba, p. 114-115.

47. Sweet, *OET*, 171.

48. Campbell, *Æthelweard*, 18. Otra genealogía en i 4 (p. 9) muestra las mismas formas, aunque la ortografía difiere.

49. Sobre la fecha de nacimiento de Penda, véase Chadwick, *Origin*, 16.

la garantiza el *Widsith* (versos 22 y 35): «Witta weold Swæfum [...] Offa weold Ongle».[50] La fecha de nacimiento de Eomær depende de su posición en la genealogía merciana,[51] y se corresponde más o menos con la fecha de nacimiento estimada de Hengest (más arriba, p. 268); es probable que Icel, que dio nombre a la familia real merciana conocida como los *Iclingas*,[52] y Oisc, que da nombre a la familia real kéntica conocida como los *Oiscingas*,[53] vivieran en la misma etapa de la invasión de Britania. Æthelberht, que murió en 616, reinó durante 56 años,[54] de modo que difícilmente pudo nacer después del 540; esta es la fecha de nacimiento de Creoda, a partir de su posición en la genealogía merciana. Beda ocupa la posición opuesta a Cnebba, nacido hacia el 480, con el nombre de Octa, a quien no se lo menciona en la *Crónica*. He sugerido más arriba que Octa puede identificarse con Hengest; en ese caso, el hecho de que Beda introduzca el nombre en ese punto es un error (más arriba, p. 269). Tal como Tolkien apunta

---

50. Chadwick (*Origin*, 134-6) trata de confirmar la fecha de Wærmund identificando al Athislus de Saxo (Müller, *Saxo*, 162; Holder, 107; Elton, 131), un coetáneo de Vermundus, con el Eadgils del *Widsith*. Este Eadgils era coetáneo de Ermanaric (versos 88, 93), que es conocido por haber medrado a mediados del siglo IV.

51. En los versos 1960-2 del *Beowulf*, Eomer es hijo de Offa y nieto de Garmund; el nombre de Angeltheow se omite en la ascendencia. El manuscrito reza *geomor*, pero es imprescindible corregirlo por *Eomer* o alguna alternativa similar para conservar la aliteración.

52. C. W. Goodwin, *The Anglo-Saxon Version of the Life of St Guthlac* (1848) 8.

53. Plummer, *Bede*, 90.

54. *Ibidem*; *Crónica*, año 616.

(más arriba, p. 123), los nombres de Beda apenas bastan para ocupar el espacio entre Hengest y Æthelberht, conque es difícil que Eormenric fuera hijo de Oisc: o bien hemos perdido el nombre del padre de Eormenric o tal vez debamos situar aquí el nombre *Oeric*. Este nombre, que no aparece en ninguna otra fuente, lo incluye Beda (ii 5) como el verdadero nombre de Oisc;[55] es posible que Beda, como Æthelweard, supiera que algunos de los miembros de la familia real kéntica disponían de nombre y apodo, pero no los identificó correctamente.

Si es cierto que Hengest era anglo, y de estirpe real, debería haber algún vínculo entre las genealogías de Mercia y de Kent,[56] y existen, en efecto, varios vínculos onomásticos. Solo hay tres ejemplos en las genealogías del elemento *Wiht*: dos en el linaje kéntico, en el nombre de Wihtgils, padre de Hengest, y en el de Wihtred, tataranieto de Æthelberht;[57] el tercero aparece en el linaje merciano, en el nombre de Wihtlæg, abuelo de Offa. *Wehta* parece un hipocorístico de algún nombre con *Wiht-*, y se ha sugerido que también *Witta* podría representar un nombre con *Wiht-*.[58] Si estas conjeturas son ciertas, tal vez Wehta fuera un hijo menor de Wihtlæg;[59] en ese caso, Offa de

---

55. Plummer, *Bede*, 90.

56. Huelga decir que la ascendencia de Woden no debe tomarse en cuenta, puesto que es habitual en prácticamente todas las genealogías anglosajonas.

57. *Crónica*, año 694.

58. Erna Hackenberg, *Die Stammtafeln der ags. Königreiche* (Berlín, 1918) 93.

59. En la genealogía kéntica del MS Vespasian B vi (Sweet, *OET*, 171; más arriba, p. 272), el nombre que sigue inmediatamente a *Uoden* es *Uegdaeg*, y resulta tentador ver aquí una corrupción de Wihtlæg; sin

los anglos y Witta de los *Swæfe* serían primos hermanos. Era tradición entre las tribus germánicas que los miembros de la familia real tuvieran nombre aliterativos,[60] y existen paralelismos obvios entre las genealogías de Mercia y Kent: ambas comienzan con nombres con *W-*, incluidos nombres con *Wiht-*, y luego pasan a nombres que comienzan por vocales. Si los nombres reales de Hengest y Horsa fueran *Octa* y *Ebissa*, serían ellos los que inauguraron los nombres comenzados por vocal de la estirpe kéntica; estos nombres comenzados por vocal continúan hasta que Wihtred volvió a la *W* a finales del siglo VII. En el linaje merciano, a los nombres comenzados por vocal los siguieron tres generaciones de nombres con *C-* y dos de nombres con *P-*, pero poco después hubo una reversión a nombres comenzados por vocal: el hermano de Penda, Eowa, tuvo hijos y nietos con nombres comenzados por vocal, e incluso el hijo de Penda se llamaba *Aeðilred*.[61] El vínculo más sorprendente lo encontramos, no obstante, en el nombre de Eomær, el coetáneo merciano de Hengest. *Eo-mær* significa 'caballo famoso' (IA *eoh* 'caballo', *mære* 'famoso'): si se trata de un apodo, como es probable, puede compararse directamente con *Hengest* y *Horsa*, y casi parecería que en la familia real de los anglos hubo una moda temporal por asignar apodos equinos.

---

embargo, el nombre *Uegdaeg* aparece en la misma posición en una de las genealogías mercianas, donde en otra aparece *Beldaeg* (Sweet, *OET*, 170).

60. G. T. Flom, «Alliteration and Variation in Old Germanic Name-Giving», *Modern Language Notes* xxxii (1917) 7-17.

61. Véanse las genealogías mercianas en MS Vespasian B vi (Sweet, *OET*, 170); los descendientes de otro de los hermanos de Penda, Coenwalh, volvieron a los nombres comenzados por *C*.

No puede demostrarse que Hengest descendiera de la estirpe real de los anglos; la única afirmación directa es la de Nennio, y puede que se equivocara. Sin embargo, no deja de sorprender que haya tantas pruebas, por pequeñas y de muy diverso tipo que sean, que apunten en la misma dirección; y la hipótesis de que Hengest era anglo esclarece tantos rincones oscuros de la historia del *Freswæl* que los textos en sí se convierten en pruebas adicionales que refuerzan la hipótesis.

Si Hengest descendía, en efecto, de la estirpe real de los anglos, es fácil comprender por qué debía de ser objeto especial de la enemistad de los jutos exiliados en la corte de Finn. Los reyes conocidos más tempranos de los anglos, Wihtlæg, Wærmund y Offa, que aparecen a la cabeza de la genealogía merciana, figuran en la *Historia danesa* de Saxo Grammaticus como Vigletus, Vermundus y Uffo. Allí se nos presentan como reyes de los daneses, pero existe un consenso general en que la tradición inglesa es correcta: en la leyenda danesa, los gobernantes de un distrito que más tarde pudieran gobernar los daneses se hacían llamar a sí mismos también daneses. Saxo ofrece una explicación pormenorizada del final de la estirpe real de los jutos, que ya en el siglo IV estaban bajo algún tipo de dominación extranjera. Un tal Gervendillus era *Jutorum præfectus*, y tras su muerte sus dos hijos, Horvendillus y Fengo, fueron nombrados *in Jutiæ præsidium* por Röricus, rey de los daneses.[62] Fengo mató a Horvendillus, cuyo hijo, Amlethus, vengó la muerte de su padre; inmediatamente después fue nombrado rey por aclamación pública, «rex alacri cunctorum

---

62. Müller, *Saxo*, 135; Holder, 85; Elton, 104.

acclamatione censetur».[63] Mientras tanto, a Röricus lo había sucedido Vigletus (Wihtlæg), quien se quejaba de que Amlethus había defraudado al rey de Leire al gobernar Jutlandia sin su permiso; con esta excusa, le declaró la guerra a Amlethus y lo mató en batalla en Jutlandia.[64] Si ignoramos la danesización superficial que Saxo hace de los anglos, el contexto se esclarece. Desde una época temprana, los jutos se vieron sujetos a algún tipo de dominación por parte de los anglos; sus gobernantes, aunque fueran reyes jutos, tenían el estatus de *præfecti*, nombrados por los reyes de los anglos. Después de que Amlethus pusiera fin a la sórdida disputa fratricida de Horvendillus y Fengo, fue aclamado como rey por el pueblo, tal vez en un resurgimiento del sentimiento nacional juto; Vigletus (Wihtlæg) no estaba dispuesto a tolerarlo, y con la muerte de Amlethus finalizó la estirpe real de los jutos, quienes a partir de entonces no tendrían líderes propios, a menos, claro, que el Garulf del Fragmento fuera un príncipe juto en el exilio (más arriba, p. 58).

Los daneses no se vieron involucrados de ninguna manera en este asunto. Es improbable que los daneses se expandieran hacia la península Címbrica antes del siglo v: los problemas tempranos que por lo visto tuvieron lugar en Jutlandia (más arriba, p. 121) debieron de producirse entre los jutos y los anglos. Cuando los daneses ocuparon al fin la península, parece que fue más bien mediante una invasión pacífica, no mediante una conquista; tal como destaca Chadwick, el uso que hace Saxo del nombre *Vermundus* con la forma anglofrisona

63. Müller, *Saxo*, 154; Holder, 100; Elton, 121-2.
64. Müller, *Saxo*, 160-1; Holder, 105-6; Elton, 128-30.

en lugar de la forma que correspondería al escandinavo *Vár-mundr* indica una invasión tan pacífica que incluso pudo adoptar tradiciones locales y hacerlas suyas.[65] Los anglos no eran subordinados de nadie, sino aliados honorables de los daneses. Los jutos no tenían por qué sentir ninguna animosidad concreta hacia los daneses, quienes, como mucho, se habían limitado a aceptar un hecho consumado; Finn no tenía motivos para esperar que una visita de su cuñado danés generara conflicto alguno. Se trataba, por tanto, de una cuestión entre los jutos y los anglos. Si, como se ha sugerido más arriba, Hengest era el tataranieto de Wihtlæg, es lógico que los jutos sintieran una animosidad muy intensa hacia el descendiente del asesino del último rey de Jutlandia.

La suposición de que Hengest era un anglo de estirpe real y descendiente de Wihtlæg dilucida muchos de los problemas principales del Fragmento y el Episodio. Los jutos que había entre los hombres de Hnæf estaban sin duda al servicio de Hengest, quien, como líder poderoso que era, debía de tener su propio séquito personal de anglos (el «seniores qui venerunt secum de insula Oghgul»), y también una banda de luchadores jutos; fue la presencia de Hengest y la de esos jutos, y no la de Hnæf, la que dio pie a la batalla. Hengest, como distinguido aliado de sangre real, merecía la mención especial que recibe en el Fragmento, y es lógico que asumiera el mando tras la muerte de Hnæf; no hay necesidad de distinguirlo de los *wealaf* mediante una interpretación forzada de los versos 1082-5.[66] Naturalmente que debía ser él quien negociara el acuerdo con Finn,

65. Chadwick, *Origin*, 125.
66. Más arriba, p. 157-158.

y que, como comandante de una tropa mixta, planteara condiciones en nombre de cada parte: por parte de los jutos, que no
se mezclarían con los jutos de Finn; por parte de los daneses, a
quienes no se reprocharía seguir al asesino de su señor.